EN LA RUTA DE

PITO PEREZ

(CUARENTA AÑOS DESPUES)

Joseph F. Velez

COMPAÑIA EDITORIAL IMPRESORA Y DISTRIBUIDORA, S.A.

México, 1983

© 1983. Joseph F. Velez
Profesor de Estudios Latinoamericanos en la Universidad
de Baylor, Tex.
Edición realizada por Cía. Editorial Impresora y Dist., S.A.
ISBN 968-7019-06-9
Impreso en México - Printed in Mexico

INDICE

Prólogo 7
Introducción 15

PARTE I 19
Yuriria 21
Morelia (I) 24
Quiroga 29
Pátzcuaro (I) 32
Opopeo 34
Santa Clara del Cobre 35
Tecario 39
Tacámbaro 42
Urapa 44
La Huacana 47
Ario de Rosales 50

PARTE II 53
Zamora 54
Jiquilpan 58
Cotija 62
Uruapan 63
Tancítaro 66
Pátzcuaro (II) 80
Morelia (II) 86
Apéndice 89
Apéndice II 91

PROLOGO

En el año de 1938 don José Rubén Romero publicó su novela La vida inútil de Pito Pérez, cuyo protagonista principal era un personaje que conociera en Santa Clara del Cobre, cuado el joven Romero desempeñaba humildes tareas burocráticas en aquel poblado, y Jesús Pérez Gaona —el verdadero nombre de "Pito Pérez"— era ya un hombre maduro "sin oficio ni beneficio" pero alegre y dicharachero. El trato con aquel hombre, cuya vida transcurría entre ocurrencias, latrocinios y parrandas, dejó en el futuro escritor una huella que, con el paso del tiempo, habría de fructificar en el mencionado libro.

Antes de La vida inútil..., Romero había hecho varias referencias a Pito Pérez. En su primer libro, Apuntes de un lugareño, habla del personaje pueblerino y le recuerda borracho, coronado de rosas, diciendo versos latinos y citas clásicas; habla también de sus desplantes de pícaro, truhán y buscón, que se ponía las sotanas de su hermano Joaquín Pérez Gaona para engañar a las gentes crédulas de los ranchos, a quienes cobraba —en dinero o en especie— por "perdonarles" sus pecados; y como ésta, otras ocupaciones de pícaro: malabarista de circo, diablo de pastorela, partero, y experto en cárceles. También en la novela El pueblo inocente (1934), Romero hizo comparecer a Pito Pérez, presentándole como un pícaro improvisador de canciones. Y todavía en 1945 habría de aparecer Algunas cosillas de Pito Pérez que se me quedaron en el tintero, serie de estampas breves en que destacó el ingenio de Jesús Pérez Gaona, y nada más.

En la vida inútil..., Romero se propuso reunir los donaires picarescos de su personaje favorito y mezclarlos con discursos de filosofía popular, anécdotas diversas, cuentos y palabras de doble sentido, y el éxito fue completo; pronto se popularizó, sirvió de tema para una película (años después se hizo otra), y al autor se empezó a llamarle con el nombre del personaje: Pito Pérez.

De Jesús Pérez Gaona, el hombre de carne y hueso, nada quedó en todo esto. Se había creado una leyenda alimentada por el genio de un escritor que sabía llamar a las cosas por su nombre y no titubeaba en emplear los términos castizos, que son los del bajo pueblo, un lenguaje coloquial cuyas raíces se fincaban muy hondo en la historia de la literatura española. La vida amarga de un pícaro pueblerino cobraba fuerza, se volvía importante con el complemento de la ideología y el arte de Romero. "En mi libro —declaró— las travesuras regocijantes fueron de él; la tristeza de su vida es toda mía. De él los donaires y el ingenio; de mí, la rebeldía y la audacia de llamar a las cosas por su nombre y de dar a los hombres su intrínseco valor."

La familia Pérez Gaona figuraba entre las más conspicuas de Santa Clara, lo que quiere decir que eran gente de cierta cultura. Don José Rubén Romero, quien vivió allí y tuvo contacto con esas personas, escribió: "Santa Clara del Cobre es un pueblo delicioso y sus gentes son de mayor cultura que las de otros pueblos... El que no cursó humanidades en el Seminario de Morelia, estuvo de alumno en el histórico plantel de San Nicolás de Hidalgo". Don Francisco Pérez y doña Concepción Gaona quisieron que sus hijos estudiaran y les enviaron a la capital del Estado con ese fin, pero Jesús, después de los estudios preliminares no pudo continuar y se quedó en el "pueblo rabón" que entonces era Santa Clara, dedicado a varios menesteres burocráticos y a la embriaguez, que terminó por dominarle, en tanto que la juventud se le escapaba rápidamente. En tres retratos suyos, de 1899, 1900 y los primeros años de nuestro siglo, cuando tenía unos veinticinco o veintisiete años, se le ve bien vestido, alegre y seguro de sí mismo; la letra de las dedicatorias (una en Santa Clara y otra en Guadalajara) es fina y bien trazada y revela al hombre educado. Sin embargo, en la fotografía de 1899 se le ve con botellas de vino y con un esqueleto humano con el que parece brindar, y en la dedicatoria a Crisóstomo P. Treviño habla de sus parrandas. Era ya el borrachito de pueblo, simpático, lleno de gracejo y pronto a la broma, a la copla maliciosa y al desplante agradable. Gran parte de sus anécdotas y aventuras deben ser de este tiempo. Además, parece que en el pueblo había otros tipos interesantes como el Padre Ortiz y el Tamborillas, que en nada desmerecían en picardías junto al "Pito Pérez".

Romero estuvo en Santa Clara hacia 1910, y es posible que para entonces ya Pérez Gaona fuera el infeliz borracho estrafalario y trashumante que pinta el novelista o el escritor resumió en él las anécdotas de todos y aun las propias aventuras del autor, pues como él mismo lo declara su familia estuvo en varios pueblos, rancherías y ciudades antes de establecerse aunque por muy corto tiempo en Santa Clara.

En ese lugar se inició la Revolución en Michoacán. El subprefecto Salvador Escalante se levantó en armas contra el gobierno dictatorial de Porfirio Díaz, y el padre de Romero y él mismo, muy joven entonces, tomaron parte de aquel movimiento que, al no encontrar resistencia y ante la renuncia del dictador, terminó con el triunfo en las calles de Morelia, capital del Estado, que se rindió ante Escalante y los campesinos que formaban su "ejército". Jesús Pérez Gaona no aparece en ninguna acción revolucionaria. Sólo en una de las "cosillas" que se le había quedado en el tintero, don Rubén pone en labios de Jesús un monólogo con su chaqueta, a la que dice: "¿Recuerdas cuando en uno de tus bolsillos guardaste la proclama de aquel levantamiento de rebeldes? ¡Si te la encuentran nos matan! ¿Y por qué hubiéramos muerto? ¿Lo has pensado alguna vez? Hubiéramos caído por derrocar a un dictador para sustituirlo por otro. En aquella jornada fuimos héroes; ahora no somos nadie: tú, una chaqueta con las bolsas vacías y yo, un hombre con una chaqueta rota..."

La revolución produjo cambios, no todo lo favorables que hubiesen deseado quienes hicieron aquel movimiento. El mismo Romero, desencantado de los frutos alcanzados, afirmaba que todo continuaba igual que antes: los mismos caciques y su explotación, las mismas mentiras y engaños para el pueblo, idéntica miseria al lado de la ostentosa riqueza de los favorecidos de la fortuna. Irónicamente escribía en 1945 sobre el pueblo donde vivía Pito Pérez "uno de esos pueblos que ahora disfrutan de todos los adelantos modernos: su líder, su banco, su pistolero, su sinfonola, su campo de futbol y su cine..."

Hubo en nuestros poblados, junto a discutibles progresos una auténtica transformación, bastaría un recorrido por ellos y con los datos de la situación anterior hacer la comparación. Se vería que sí han cambiado —para bien— las casas, los servicios, los hombres y sus costumbres, aunque muchas de éstas, como el alcoholismo, permanecen muy arraigadas.

El doctor Joseph F. Vélez ha dejado momentáneamente su sitial en la dirección del Latin American Studies de la Universidad de Baylor, para emprender un viaje a los poblados de Michoacán donde se supone que vivió Pito Pérez. Guiado por los datos de la novela, se lanzó a ir de pueblo en pueblo tras de aquella "sombra melancólica" que Romero veía pasar en sus recuerdos y que Vélez ha querido encontrar en los tugurios, cárceles, plazas y mercados. Pero algo más, en las páginas de su libro En la ruta de Pito Pérez, ha emprendido una serie de "aventuras y experiencias personales" con el propósito de "revivir la época en que vivió Pito Pérez".

Don José Rubén Romero situó las ocurrencias del pícaro en lugares concretos de la geografía michoacana, para hacer desfilar las agudezas, donaires, amoríos, desengaños, borracheras y sufrimientos del personaje, sin que podamos atrevernos a sostener que allí sucedieron tales incidentes, o siquiera que Pérez Gaona hubiera estado allí. El trabajo del doctor Vélez se reduce a un itinerario novelesco, que de todos modos resulta interesante como la aventura de un hombre, procedente de un país altamente desarrollado, los Estados Unidos, por los caminos polvorientos y los poblados subdesarrollados de nuestra patria.

Lo que encuentra el doctor es el testimonio de ese atraso. Incomodidad en los transportes públicos, falta de higiene en los alimentos y en las casas habilitadas como hoteles, alcoholismo, pero, aún así, esos pueblos no son lo que fueron hace setenta años. La economía cerrada, de autoconsumo, que existía en la época en que vivían allí Romero y Pérez Gaona, ha sido sustituida por una más competitiva, ligada al mercado nacional a través de las vías de comunicación que, aunque insuficientes, mueven el mercado y la relación entre los hombres. Naturalmente, esos poblados no reciben con frecuencia visitantes, y no cuentan por tanto con hoteles ni servicios adecuados, pero cuando el doctor Vélez llegó a Tancítaro, las nueve habitaciones del único hotel estaban ocupadas por empleados de la Comisión Federal de Electricidad que iban a trabajar en las once localidades con que cuenta el municipio; este dato significa progreso para la región, aunque nuestros amigos tengan que pasar una mala noche en un hospedaje improvisado, como refiere el doctor Vélez.

Las aventuras del doctor por las ciudades grandes como Morelia, Zamora, Uruapan, Jiquilpan, y Pátzcuaro, no son tan amenas como las que pasó en los poblados pequeños, siempre tras de huellas de Pito Pérez, que como buen pícaro se le escapa, cuando creía haber encontrado algún indicio seguro.

En Pátzcuaro, el doctor entrevistó a Don José Reyes Tapia, comerciante de larga trayectoria y avanzada edad, casi centenario. Don José, pariente de los Pérez Gaona, recitó anécdotas y sucedidos del personaje, sin dejar de pensar en la novela y en la popularidad de Pito Pérez. Don José y su familia se establecieron en esa ciudad después de la Revolución, y su contacto con Jesús Pérez Gaona debe haber sido lejano y poco frecuente, si se toma en cuenta, además, que Jesús era la "oveja negra" de la familia. El testimonio es importante por las fotografías ya mencionadas, y por tratarse de una persona que conoció al famoso pícaro, aunque no aporta mayores datos sobre sus "hazañas".

Otra entrevista, muy extensa, hizo el doctor Vélez. Habló con el distinguido historiador y maestro Jesús Romero Flores, quien se inició en las letras y el periodismo provinciano casi al mismo tiempo que don José Rubén Romero. El maestro Romero Flores habla extensamente acerca de la época en que vivió Pérez Gaona, y toca los aspectos políticos, económicos y literarios en forma un tanto desordenada, como un resumen de los numerosos libros que ha escrito sobre esas cuestiones. Tal vez por su avanzada edad, casi centenario también, algunos datos requerían de mayor precisión y juicio crítico; pero el cuadro que traza es bueno como introducción al tema de la vida de Jesús Pérez Gaona, no de Pito Pérez que, insistimos es un personaje literario, creado en la imaginación del novelista.

En la década de los años veintes, Pérez Gaona vivía en Morelia, dedicado al comercio; vendía artículos de lencería por las calles, y cargaba su mercancía en unos cestos o canastas de cuyos bordes colgaban varias campanas para anunciar su presencia. Se le conocía con el nombre de Hilo Lacre, que era uno de los productos que vendía y pregonaba con una especie de cántico. Vestía

11

pobre pero decorosamente (en una fotografía que conocemos aparece sin el sombrero ancho con campanas, que tampoco cuelgan de sus canastas); algunas personas que le conocieron entonces afirman que los domingos y días festivos gustaba de salir a la calle transformado en todo un caballero. Que era un bebedor empedernido no queda duda, pues ingresó al Hospital Civil de Morelia con un grave cuadro de gastroenteritis alcohólica, y falleció en ese centro hospitalario (hoy desaparecido) a las 19.30 horas del 8 de noviembre de 1929, según consta en el acta 1727 del Registro Civil de la misma ciudad. Los datos que se asentaron; 55 años de edad, soltero, comerciante, originario de Santa Clara del Cobre. Como nadie reclamó el cadáver, fue sepultado en la fosa común del cementerio municipal.

La vida "inútil" de este personaje fue llevada al cine, es decir se filmaron dos películas con ese argumento; y los resultados fueron catastróficos. No sólo se burló allí la verdad sino se atentó contra la novela romeriana, al grado que el mismo autor se sintió molesto por las deformaciones, pues del filósofo cínico y trashumante se hizo un payaso grotesco que, por el poder comunicador del cine ha penetrado hondamente en la imaginación popular. Ahora se identifica a Pito Pérez por el atuendo, expresiones, gestos y anécdotas del personaje cinematográfico.

Existen, por tanto, tres Pito Pérez. El de la realidad o sean Jesús Pérez Gaona, al que me he referido con cierta acuciosidad; el que creó don José Rubén Romero, que tiene la belleza literaria y el claro parentesco con la novela picaresca española, a la que supera la novela del mexicano, pues logró un personaje más profundo que Lazarillo de Tormes, más humano que Estebanillo González, más auténtico que Marcos de Obregón y más honrado que Guzmán de Alfarache; y finalmente el Pito Pérez del cine, el héroe cinematográfico, comercializado y ridículo, como una caricatura de los dos anteriores.

El doctor Vélez siguió las huellas del Pito Pérez romeriano, y su aventura queda en las páginas de este libro. No lo encontró en los vericuetos de la geografía porque está más en el alma del pueblo mexicano. El éxito de la novela de Romero se debió a la identificación de las gentes con las reflexiones y las rebeldías de aquel hombre golpeado por la injusticia y despreciado por el amor; fue un símbolo de los débiles, no sólo de México sino del mundo, aun de los países poderosos como Los Estados Unidos, y bastaría acercarse a los barrios miserables de cualquier gran ciudad para encontrar tipos que sufren la misma angustia y marginación que el pícaro mexicano, y se valen de los mismos métodos para subsistir: el engaño, el robo, la simulación y el apelar a la compasión de los demás. De las lágrimas de todos los desposeídos se alzarán los cimientos del mundo de mañana, que anhelamos sin sombras y sin pícaros.

México, D.F., verano de 1982.

Dr. Raúl Arreola Cortés.

INTRODUCCION

Seguirle los pasos a Pito Pérez. Eso es lo que se me ocurrió, después de leer varias veces *La vida inútil de Pito Pérez*. Al principio la idea me pareció descabellada. Traté de arrancarla de mi mente; pero mi subconsciente se negó a cooperar con mi consciente. Surgieron, entonces, algunas preguntas que debía yo contestarme antes de tomar en serio esa peregrina idea: ¿qué propósito podía tener el seguir unas huellas frías después de cuarenta años?, ¿qué interés podía tener el seguir las aventuras de un filósofo borracho a quien, al parecer, nadie amó?, ¿qué lugares debían ser incluidos y cuáles excluidos?, ¿qué buscar al seguir las aventuras de Pito Pérez?

Pero la idea no murió. Ni siquiera se desvaneció sino que por el contrario, se hizo más clara en mi mente. Es más, se convirtió en una obsesión que no pude sacudirme. No había remedio. Tendría yo que seguir la ruta de Pito Pérez, aunque no necesariamente en el mismo orden, ya que, fuera de la primera salida que sigue un orden cronológico, no existe un *travel log* que asegure fechas, horas de llegada y salida, ni la secuencia de los lugares visitados. Tendría que convertirme en un reportero-detective para rastrear las huellas dejadas por Pito Pérez, o en otro vagabundo siguiendo a gran distancia al protagonista de *La vida inútil de Pito Pérez*.

Después de varios años de dudas y vacilaciones, además de compromisos de trabajo, la idea cuajó en mi mente y decidí que el momento había llegado para comenzar mi gran aventura. Había que poner manos a la obra.

Solicité y obtuve, del *Faculty Development Committee* de Baylor University un verano sabático para realizar este proyecto. Luego solicité, y se me concedió, el apoyo económico del *Research Committee* de Baylor University para el verano de 1979.

Ya comprometido, no había más que seguir adelante. Volví a leer las obras de José Rubén Romero, lo mismo que otros libros acerca de él y de crítica de su obra, a fin de situarme dentro de las obras anteriores y posteriores a *La vida inútil de Pito Pérez*. Esta última sería el principal libro de consulta en la realización de mi viaje.

Conseguí un mapa del estado de Michoacán para formarme una idea del itinerario y así hacer planes para el viaje. Observé —como puede hacerlo cualquiera que se tome la molestia de comprobarlo— que la primera salida de Pito Pérez forma un triángulo (alguien diría: es un círculo). Además, es un área relativamente reducida y, por lo mismo, sus aventuras son detalladas.

Como el niño que primero se familiariza con su vecindad y luego se lanza, a medida que crece, a la conquista de la gran ciudad —que en este caso es todo el estado de Michoacán— así Pito Pérez no se aleja mucho de su pueblo en su primera salida. Sin embargo, después de recorrer su estado, cuando menos una vez, se aventuró a visitar Yuriria, en el estado de Guanajuato, que, de acuerdo con la analogía establecida, correspondería al extranjero.

Otra cosa notable, sin tratar de hacer crítica literaria en este momento, es que en la primera parte de la novela hay más acción que en la segunda parte; en ésta la filosofía predomina, aunque la acción no está ausente totalmente.

Este patrón corresponde, lógicamente, al desarrollo y crecimiento del individuo, en este caso Pito Pérez. Primero quiere libertad, aventura, conocer el mundo, vivir, consumir su excesiva energía, realizar sus sueños y materializar sus fantasías; pero a medida que madura y adquiere experiencia se vuelve contemplativo y moralista; su desencanto y desilusión se convierten en cinismo.

Una última observación, aunque beve, respecto de la obra: según evidencia interna, el autor separa la primera parte de la segunda por medio de un intervalo considerable: "¡Hace tantos ayeres que no nos vemos! ¡Desde la torre de Santa Clara! Va para diez años..." (p. 147)* También mi expedición la hice en dos partes, como se verá después.

Con mi libro de texto, mi cuaderno de notas, cámara fotográfica y el equipo necesario ya preparado, consideré que estaba listo para emprender la jornada que me llevaría a los lugares que Pito Pérez inmortalizó con su picardía, sus borracheras, su sufrimiento y su vida que, al fin, ya no me parece tan inútil.

Antes de entrar de lleno a la narración de mis jornadas para seguir la ruta de Pito Pérez es preciso expresar mi agradecimiento a los comités de Baylor University, así como a las personas que encontré en Morelia y que me fueron de gran ayuda: el licenciado Adalberto Oseguera Lúa quien me sugirió nombres de personas que me proporcionaron detalles que después resultaron importantes; los profesores Javier Arreola Cortés y tomás Rico Cano me hicieron ver una cadena que, comenzando en Morelia, se extendió hasta Pátzcuaro y la ciudad de México. En su oportundiad se verá la importancia de estas referencias a todas estas personas, así como a don José Reyes Tapia, de Pátzcuaro, a quienes les soy deudor por su excelente ayuda y apoyo entusiasta en la realización de este proyecto.

Este proyecto no pretende ser un trabajo de erudición escolástica; es sencillamente una relación de lo que vi y de mis impresiones de los lugares que Pito Párez visitó y de las gentes que viven en esos lugares.

* Todas las páginas son de *La vida inútil de Pito Pérez,* de José Rubén Romero, Editorial Porrúa, S.A. México, 1975.

PARTE I

Por extraño que parezca, comienzo mi jornada en la ciudad de México. Puesto que la visita de Pito Pérez a Yuriria, Guanajuato, sale de lo normal, consideré que podía inciar mi viaje de una manera un tanto arbitraria también. Quería, ante todo, ambientarme, familiarizarme, poco a poco, con el paisaje y las gentes que circundan el estado de Michoacán para, después, entender mejor a Pito Pérez. Por eso, el viaje en autobús del Distrito Federal a Yuriria sería de valor para mis propósitos.

El autobús salía a tiempo de la capital mexicana para San Miguel de Allende. Eran las 8 A.M. cuando salió. La primera escala sería Querétaro, históricamente famosa por ser la ciudad de Josefa Ortiz de Domínguez, la Corregidora; famosa por ser vecina del lugar donde fue ejecutado el rubio Archiduque Maximiliano de Austria, emperador de México por la gracia de Bonaparte y algunos mexicanos amantes de una nobleza europea, pero fuera del contexto americano. Querétaro es famosa ahora por sus antiguos acueductos y su abundancia de piedras semipreciosas.

A eso de las once el autobús llegó al final de la carretera pavimentada y comenzó a rodar sobre calles adoquinadas hasta que llegó a la terminal. El chofer anunció una demora de veinte minutos que los pasajeros aprovechamos para estirar las piernas o desayunar.

Llegó el momento de seguir el viaje hacia San Miguel de Allende, una de las ciudades dentro de la llamada "Ruta de la Independencia". El paisaje es árido y monótono. Al aproximarse a San Miguel de Allende, el camino se inclina y se hace angosto; el empedrado es disparejo y hace que los autobuses bajen a saltos y los pasajeros tienen que mantener un equilibrio dudoso mientras dura el descenso.

En la falda de una loma se asienta la catedral de arquitectura gótica y la rodean en precario equilibrio los comercios y residencias coloniales. En el valle se encuentra el Instituto Allende, mismo que visité por tener un asunto de carácter académico que tratar allí. Este Instituto parece hacer buen negocio de la instrucción del arte y la enseñanza de la lengua a estudiantes extranjeros que prefieren un lugar aislado del bullicio de las grandes ciudades.

De San Miguel de Allende salí para Celaya, Guanajuato. Esta es otra ciudad histórica porque aquí se enfrentaron los ejércitos enemigos durante la Revolución Mexicana. La historia pareció cobrar vida en mi mente al llegar a esta ciudad central del Bajío mexicano. Las huertas verdes presentan un panorama de prosperidad.

Tan pronto como pude hacerlo, abordé el autobús para Yuriria. El calor se intensificaba y el equipo, así como los objetos personales que llevaba, se me hacía más pesado cada vez. Afortunadamente encontré asiento en el autobús de segunda clase —aunque muchos turistas gustan de hablar de los autobuses de tercera clase, yo no vi ninguno en todos mis viajes, incluyendo lugares casi olvidados por Dios y por el gobierno—. Entre tumbo y tumbo llegamos a mi primer objetivo en este viaje.

YURIRIA

"De la cárcel de Yuriria recuerdo un episodio trágico, de esos que los escritores emplean para escribir novelas que ahora se llaman de psicoanálisis y que antes se conocían por culebrones."
(pp.124-25)

Una vez en Yuriria, estado de Guanajuato, preparé mi cámara a fin de capturar las imágenes deseadas y consulté mi cuaderno de notas para asegurarme de que no dejaría ningún lugar importante sin visitar.

Lo primero que me impresionó fue la tranquilidad que envolvía al pueblo, una especie de somnolencia, quizá por la hora en que llegué, la poca gente que estaba en la plaza parecía estar dedicada totalmente a descansar. Tal vez sólo esperara que el calor disminuyese para entrar en acción.

Bajo los frondosos árboles de la plaza había algunas gentes, de ropas humildes, sentadas en bancas de concreto. En un extremo de la plaza, que más bien es extensión del atrio, está la parroquia con su arquitectura irregular que sin duda refleja el esfuerzo de varias generaciones por terminarla, pero en diferentes períodos arquitectónicos. Su construcción es masiva, como casi todos los templos antiguos de México. A un lado de la parroquia está la plaza principal, casi una miniatura. Esta se distingue por su kiosco que parece ser mediador entre la parroquia y la cárcel que se miran frente a frente. Aunque la plaza es pequeña —o quizá por eso mismo— está bien cuidada. Al borde de la plaza están los edificios del gobierno local, incluyendo la cárcel desde la cual pueden verse las torres de la parroquia. Esta es la cárcel que Pito Pérez dijo haber habitado, indicando al mismo tiempo que fue a parar con sus huesos a la cárcel por haberse hecho pasar por misionero. Fue en la cárcel de Yuriria donde Pito Pérez conoció a Rosendo, un matón a quien la viuda de la víctima de Rosendo mató en venganza. Pito Pérez calificó este episodio como trágico y es un cuento en sí mismo dentro de la novela.

La cárcel es una miniatura que el tiempo no ha podido, o no ha querido, alterar. Sólo un policía viejo, de uniforme raído, hacía guardia ante la puerta de la cárcel. Me acerqué a él para pedirle permiso de tomar algunas fotos del lugar. El se sobresaltó porque, al parecer, lo había sacado de su ensueño, o de sus remembranzas sentimentales. Me miró con extrañeza como si no creyera o no comprendiera mi petición. Al ver su confusión, repetí mi pregunta. Tal vez pensara que estaba yo loco al querer sacar fotografías de un lugar como ése. Por toda respuesta llamó a gritos a su superior que salió inmediatamente de una puerta adyacente y éste, más joven y más avisado, escuchó mi petición y mis explicaciones con atención y, amablemente, me autorizó a tomar cuantas fotos quisiera. Le di las gracias y entré en acción.

Noté que en la penumbra de la cárcel se vislumbraba una pesada reja, tan cerca de la puerta exterior que más bien parecía otra puerta de todo el cuarto que servía de cárcel. Ante la reja estaba una mujer de unos cuarenta años hablando con alguien adentro. No pude ver quién era. Podía haber sido el marido o el hijo de esa mujer. Pero el cuadro me sugirió que bien podría haberse tratado de Pito Pérez que todavía se encontraba ocupando esa obscura celda, pero mi razón me dijo que tal cosa era imposible porque a Pito Pérez nadie lo visitó jamás en sus cautiverios. Una vez que Pito iba a la cárcel, el mundo parecía olvidarse de él.

Traté de tomar una foto de la mujer, aunque sólo fuera por la espalda, ante la reja, pero la escasez de luz me lo impidió. Más tarde vi a la mujer caminando hacia la parroquia, posiblemente para pedirle a su santo favorito que libertara a su preso. Su cara arrugada prematuramente reflejaba cierta preocupación y aunque sentí la tentación de preguntarle a quién visitaba en la cárcel, decidí respetar su dolor y la dejé marcharse sin hablarle.

Tomé algunas fotos del kiosco y del costado de la parroquia que me pareció interesante por sus ventanales. Quizá lo más interesante de esa vieja parroquia sea su gran atrio que en verdad ofrece sombra y descanso a los feligreses. Luego busqué el hospital. Este resultó estar casi detrás de la cárcel. Es también un edificio pequeño. Lo único que parece haber cambiado en este edificio es la pintura reciente.

El ver todos estos edificios en conjunto produce la impresión de que en Yuriria todo se ha reducido de tamaño a escala. En mi memoria persiste la impresión de una casa de muñecas en la que todo se reconoce como lo que es, pero es demasiado pequeño para servir al propósito al que se le designa. Hasta el barrendero que movía su escoba con lentas oscilaciones pendulares, en medio de la plaza, parecía irreal, y su escoba parecía moverlo a él.

Los autobuses paran precisamente en el extremo del atrio de la parroquia. Algunos vendedores anunciaban sus mercancías a los aburridos pasajeros. Unos chicos forcejeaban en la banqueta y rodaban hasta el pavimento de la calle mientras que las moscas, enervadas por el calor de la tarde, se hacían más molestas.

Habiendo terminado mi trabajo en Yuriria, abordé el primer autobús que salía para Morelia. Todos los asientos estaban ocupados y tuve que ir columpiándome del pasamanos hasta la primera parada donde se desocuparon varios asientos. Me acomodé junto a la ventana y un joven que subió en la última parada se sentó junto a mí. Observé que llevaba en las manos un papel con un buen altero de tacos de carnitas con su respectiva salsa picante. Me ofreció de lo que iba a comer, por cortesía, claro está, y yo, naturalmente, decliné. Sin más ni más, se dedicó a saborear sus tacos y a chuparse los dedos cada vez que se le embarraban de salsa y grasa. Afortunadamente mi estómago no estaba como para reaccionar con apetito y mis glándulas salivales no entraron en acción.

Después de varias paradas, subidas y bajadas de pasajeros, llegamos a Morelia. Atrás había quedado Yuriria con sus calles torcidas y angostas que parecían estirarse como si fueran de hule para dar paso a los autobuses modernos.

MORELIA (I)

*"Morelia, en mayo, sufre calenturas;
las gentes adelgazan y los chicos enfer-
man del estómago." (p. 141)*

*"En los días de calor hay pocos
transeúntes por las calles de Morelia,
y sus pasos resuenan en las banquetas
señalando las horas, como un reloj
indefectible." (p. 142)*

*"Sólo por un milagro de la muerte,
que como ya digo, es mi mejor amiga,
pude salir del hospital de Morelia. Trabajaba en él una enfermera de corazón
altruista. Llamábase Pelagia, y este nombre ya era de mal agüero para los
supersticiosos que caían en sus manos." (p. 161)*

Casi quince años habían pasado desde mi última visita a esta
bella capital provinciana, asentada en el Valle de Guayangareo. Mi
primer impulso, al ver otra vez esta vieja y tradicionalista ciudad,
fue comparar mis recuerdos con la realidad del momento. Una
fiebre de renovación se ha apoderado de Morelia. Se ha modernizado en ciertas zonas, pero en otras permanece igual. El progreso,
si es que así puede llamársele al cambio, no ha llegado a todos
los rincones.

Para comenzar, los autobuses llegan a una central camionera,
totalmente nueva para mí. Tan pronto bajé del autobús busqué la

salida que se encuentra en la cúspide de una gran escalera de piedra. Había mucha gente que subía y mucha gente que bajaba. Unas atropellaban a otras y nadie pedía disculpas. Estas gentes se conducían de una manera extraña para mí. Más parecían gentes del D.F. saliendo o entrando al metro que gentes provincianas.

Saliendo de la central camionera procuré orientarme. Debía localizar a un antiguo amigo que pudiera ponerme al corriente de los cambios ocurridos. Lo hallé sin demasiadas dificultades. Después de los saludos rutinarios y las preguntas mutuas sobre la familia, le expliqué el propósito de mi visita a Morelia. Para decepción mía me informó que el hospital mencionado por Pito Pérez ha sido víctima del progreso y del cambio. Era mi intención visitar ese hospital para recrear, si fuera posible, la situación en que se vio Pito Pérez. Sin embargo, mi amigo me informó de otro edificio con una fachada semejante a la del viejo hospital. Algo era algo, y tuve que aceptar la situación tal cual era.

Tenía conmigo una carta y un libro de mi colega Lyle Brown, profesor de ciencias políticas en Baylor, para el licenciado Adalberto Oseguera Lúa, quien resultó ser maestro de la Preparatoria número 4 de Morelia y al hallarlo le hice entrega de la carta y el libro. Yo ignoraba el contenido de la carta que no era sino una carta de presentación.

El licenciado Oseguera me ayudó a localizar al profesor normalista Tomás Rico Cano, un poeta bien conocido en Morelia y pariente de don José Reyes Tapia, pariente, a su vez, de Pito Pérez. Fracasamos en nuestro primer intento de hallar al profesor Rico Cano, pero al menos ya estaba yo en la pista de algo importante.

Después de algún trabajo, nada se logra sin trabajo, di con el profesor Tomás Rico Cano quien acababa de publicar "Otro saludo de año nuevo", uno de sus últimos poemas —conservo copia autografiada de este poema— en uno de los periódicos locales.

Terminadas las presentaciones mutuas entramos de lleno al asunto que me interesaba. El profesor Rico Cano me recomendó que buscara a su pariente, un tío suyo por parte de su madre, don José Reyes Tapia, en Pátzcuaro, lo cual prometí hacer al día siguiente.

En el transcurso de nuestra plática, el profesor Rico Cano me aseguró haber conocido personalmente a José Rubén Romero cuando éste fue Rector de la Universidad de San Nicolás, en 1943, época en que hubo serios problemas en la Universidad. Irónicamente, cuando llegué a Morelia y me metí por la Avenida Francisco I. Madero, sobre la cual se encuentra ubicada la Universidad de San Nicolás, me encontré con la Universidad inactiva y una manifestación estudiantil pidiendo la renuncia de los administradores universitarios y demandando cambios de la política que ellos juzgaban indispensables para el buen funcionamiento de la institución educativa.

Visité al profesor Javier Arreola Cortés, Bibliotecario del Colegio de San Nicolás. Raúl Arreola Cortés, hermano del profesor Javier Arreola, ha escrito sobre algunas obras de José Rubén Romero y yo esperaba echar, cuando menos, un vistazo a esas obras en la biblioteca. Resultó ser una visita sumamente interesante por la gentileza con que me trató el profesor Javier Arreola. Quedamos de vernos una semana después cuando él podría facilitarme algunos materiales.

Al andar por las calles de Morelia trataba de visualizar, hasta donde fuese posible, los lugares y las esquinas donde pudo haber estado Pito Pérez que, como vendedor de artículos de mercería, tuvo que pisar estas mismas calles por las que yo andaba.

Por la tarde tuve una reunión por demás interesante con los maestros de literatura y lenguas de la Preparatoria número 4, así como con el director de la misma, el profesor Evodio Romero Rodríguez. Todos mostraron gran entusiasmo por mi proyecto de seguir la ruta de Pito Pérez —entonces estaba yo al principio de la pista— y me animaron para realizar esa aventura

Aproveché el día para tomar fotografías de la casa donde funcionó la Escuela de Medicina, en lo que ahora es el Hotel Oseguera en donde, por coincidencia, estaba yo hospedado. ¿Sería el director de esta escuela el mismo que estaba encargado del hospital donde estuvo Pito Pérez y del que tuvo que escapar para no ser víctima de los cuidados de la enfermera Pelagia?

La cárcel de Morelia, en la Calle de Vicente Santamaría, ha dejado de existir y el departamento de policía y el cuerpo de bomberos tienen nuevas y mejores instalaciones en otra localidad. Pero, si la memoria me sirve bien, la cárcel era un lugar muy pequeño y las mazmorras era más pequeñas todavía. Recuerdo que al pasar frente a la cárcel —por una afortunada coincidencia viví en la misma calle de 1948 a 1951— siempre había dos o tres guardias parados o sentados a la puerta. Las paredes todavía preservan sus argollas de hierro de las que se aseguraba a los caballos que dormitaban parados en la calle empedrada.

En mi recuerdo, la Avenida Madero era la entrada principal de los autobuses que llegaban de México y salían para Guadalajara. Ahora el tráfico ha cambiado, pero la Avenida Madero sigue siendo la arteria principal de la capital michoacana por su amplitud y porque sobre ella se encuentran algunos de los negocios principales.

La catedral, con sus torres gemelas y con una plaza a cada uno de sus costados se yergue airosa dominando todo el valle y se deja ver a gran distancia por la gente que llega, como para darles la bienvenida; y por la gente que se aleja, como para despedirla e invitarla a volver pronto.

Las plazas, con sus árboles bien cuidados y de formas simétricas artificialmente diseñadas, parecen las faldas naturales de las altas torres de la catedral. No pude menos que preguntarme cuántas veces se sentaría en las bancas de concreto de las plazas Pito Pérez para contemplar las fuentes, o simplemente para pretender ver mientras su imaginación volaba por el mundo de la irrealidad provocada por el alcohol.

No me fue posible localizar el establecimiento llamado "La Central", que supongo era una tienda donde se vendía de todo, incluyendo alcohol, ya que de otra manera Pito Pérez no habría ido allí a conversar con José Rubén Romero.

Ya dije que me hospedé en el Hotel Oseguera y mi cuarto tenía balcón que daba a la Avenida Madero. Por las noches escuchaba la conmoción de los estudiantes y otras gentes interesadas en conseguir los deseados cambios en la Universidad. Sólo en la madrugada se imponía el silencio y podía yo dormir.

Ya en el autobús que iba a Quiroga, traté de recapitular mis impresiones: la Fuente Tarasca, que era un hermoso monumento, casi enfrente de la Escuela Normal, había desaparecido. En su lugar se había instalado una estatuilla griega que emite un chorrito de agua. Otros cambios más notables se habían realizado, especialmente en las salidas de Morelia. Luego me preguntaba: Si Pito Pérez volviera a vivir, ¿reconocería la ciudad? Tal vez se moriría de nuevo de puritita tristeza al no hallar su lugar favorito para tomarse un trago en compañía y a costa de sus amigos ocasionales.

Pito Pérez estuvo en Morelia más de una vez y volvió para morir en esta ciudad; pero esa historia merece otro capítulo aparte. Por ahora baste saber que en el mercado siguen vendiendo carnitas de puerco; los vendedores ambulantes disminuyen y las cantinas son pocas en esta ciudad a la que volvería, como lo hizo Pito Pérez.

QUIROGA

"Por celebrar unas panateneas y salir a las calles de Quiroga envuelto en una sábana y coronado de flores, como un auténtico ateniense, me impusieron ocho días de barrer la plaza; y otros ocho de faenas por haber expresado mis deseos de que estallara una revuelta para aplicar la ley de Talión al Presidente Municipal." (p. 119)

Como Quiroga está a corta distancia de Morelia, llegué en cosa de una hora por autobús, incluyendo las múltiples paradas porque de todas partes salían estudiantes con sus libros y otros materiales escolares que iban a la escuela de Quiroga. Llegué a la hora en que los hombres se curaban la cruda con su mole de panza o su cajete de menudo, sentados en unos bancos de madera ante toscas mesas y se disputaban la comida con cientos de moscas.

Las tiendas de baratijas para turistas, nacionales y extranjeros, ocupan los edificios principales de la Calle Real, donde paran los autobuses. Naturalmente, me detuve a curiosear y a admirar algunos objetos de barro, madera, metal, palma y hasta de plástico, que se venden como muestras del arte tarasco.

A un par de calles de la terminal de los autobuses se encuentra una plaza con sus inevitables portales que alojan en su interior otros comercios, pero sólo por tres lados de la plaza. La calle principal ocupa el lugar de los portales por el cuarto costado. En este lado de la plaza, el que da a la calle principal, se amontonan puestos de menudo, de carnitas y tacos. Las gentes devoraban, con ruidosos sorbos, el contenido de sus platos bien hondos, después de haber añadido rebanadas de rábano, cebolla y chile, más algunas hojitas de orégano, y las tortillas, enrolladas como flautas, desaparecían entre sus sucias manos primero y luego en la boca. Mientras tanto, desde su alto pedestal, en el mismo centro de la plaza, un príncipe guerrero contemplaba pensativo y mudo a los descendientes de su estirpe que ni siquiera mostraban estar conscientes de esa augusta presencia. Ese guerrero ha sido testigo de muchos cambios, y sin duda verá muchos más, mientras permanezca en su solitario y elevado puesto de observación. Allí, en su pedestal se mantiene, mientras tanto, muy por encima de todo lo que lo rodea, incapaz de poder intervenir en los acontecimientos importantes, o en las acciones triviales de su pueblo.

A una calle de distancia, y en la dirección de Pátzcuaro, se encuentra el mercado bullicioso. Los comerciantes parecían estar haciendo buenos negocios. Yo contemplaba las actividades desde la acera opuesta pero hasta allá me llegaba el olor húmedo del pescado fresco que dos hombres cortaban y pesaban de acuerdo con las instrucciones de los compradores.

El mercado está rodeado de otras casas comerciales y atrás se divisa una parroquia en ruinas. A unos pasos de la esquina del mercado, y sobre la calle que va a Pátzcuaro, está una carnicería de un señor ya anciano que, según me habían dicho las gentes, podría darme información respecto de la cárcel entre los años 1918-1937. Fui a la carnicería e hice la pregunta que me interesaba. Efectivamente, me dijo el buen anciano que la cárcel estaba enfrente, al cruzar la calle. Allí se encuentra el edificio que funciona como Palacio Municipal y al fondo del patio, en un rincón casi, está la que fue cárcel, con sus respectivas mazmorras que alguna vez hospedaron a Pito Pérez. Los guardias me permitieron tomar fotografías de sus instalaciones. Como apoyándose contra la pared de las mazmorras se levanta, aunque con mucho trabajo, una pequeña y sobria parroquia con su humilde torre que con su índice sucio señala al cielo, la única esperanza de los pobres como la mujer que vi entrar para rezar sus oraciones, o como la niña que jugaba enfrente de la puerta del templo.

Pito Pérez debió haber pasado muchas veces frente a esta parroquia, camino de la cárcel, o debió apoyarse sobre sus paredes para descansar entre escobazo y escobazo durante sus días de castigo por borracho e imprudente.

Antes de salir de Quiroga, rumbo a Pátzcuaro, lancé una mirada a la plaza, al mercado y a la carnicería y no pude contener una pregunta, ¿habrá cambiado Quiroga hasta el punto de ser diferente, o será la misma Quiroga que Pito Pérez conoció?

PATZCUARO (I)

"Pero la metrópoli que más me gusta es Pátzcuaro. ¡En dónde una ciudad con una tristeza más poética! ¡En dónde un lago como el suyo, mineral líquido, cuya veta de peces de plata es inagotable! ¡En dónde un panorama más hermoso que el que se descubre desde la cima del Calvario, que abarca todo Michoacán, (...) único en el mundo, por la diafanidad del aire en los contados días que no llueve!" (pp. 79-80)

Podría decirse que fue en esta población, a la orilla del lago del mismo nombre, donde José Rubén Romero comenzó su carrera política ya que fue aquí donde estableció contacto con las figuras revolucionarias que llegarían a ocupar altos puestos del gobierno michoacano y mexicano. Tal vez por esta razón los recuerdos que José Rubén Romero evoca, por medio de Pito Pérez, son bellos y hasta románticos, y por lo mismo exagerados, ya que Pátzcuaro dista mucho de ser una metrópoli. Curiosamente, Pito Pérez no dice haber estado en la cárcel de Pátzcuaro; y no porque no la hubiera.

Mi visita a este pueblo tenía como objetivo principal buscar a don José Reyes Tapia, lejano pariente de Pito Pérez. Desafortunadamente llegué un día sábado y en ese día las tiendas como "El Cairo", que venden de todo, estaban cerradas y el dueño había salido poco antes de mi llegada. Los hombres que se ocupaban en pulir unos muebles me informaron de su salida, pero no pudieron decirme si había ido a Morelia o a Uruapan. En cualquier caso, como no lo conocía, no valía la pena buscarlo en una de esas ciudades, de modo que me resigné a posponer mi visita a don José Reyes Tapia hasta mi segundo viaje, la semana siguiente, porque por el momento era preciso seguir adelante y acercarme más cada vez a la cuna de Pito Pérez.

OPOPEO

"..., y yo no renuncio a mis viajes,
aunque sólo sean de aquí a Opopeo."
(p. 77)

"Fui a dar unos ejercicios espirituales
al pueblo de Opopeo, usando digna-
mente la sotana de Joaquín mi hermano,
y con el noble fin de colectar limosnas
para nuestras misiones en el Japón."
(p. 121)

A corta distancia de Pátzcuaro está Opopeo, apenas un pueblo que sirve de crucero al tráfico de Morelia a Tacámbaro, o de Morelia a Ario de Rosales y La Huacana.

Tiene una plaza que apenas merece tal nombre. Todas las oficinas del gobierno local se concentran en un lado de la plaza. Los arcos de los portales están sostenidos por unos altos postes de madera; la pintura de los edificios está descolorida. El kiosco ocupa la parte central de la plaza. El viajero que va en autobús, si cierra los ojos un solo instante, pasa sin ver el pueblo.

Tomé unas fotos del taxista que me había llevado desde Pátzcuaro hasta este lugar y luego me llevaría a Santa Clara del Cobre. El calor y el polvo se combinaban para producir un paisaje rojizo.

Si no fuera porque Pito Pérez menciona este lugar como pueblo donde él estuvo y cuya cárcel habitó temporalmente, nadie le prestaría atención, ni yo mismo.

SANTA CLARA DEL COBRE

"¡Adiós, Santa Clara del Cobre, que me viste nacer y crecer, humillado y triste! Volveré a ti vencedor, y tus campanas se echarán a vuelo para recibirme."
(p. 38)

Si yo fuera pájaro, o si hubiera tenido a mi disposición un avión o un helicóptero, podría haber llegado a la tierra de Pito Pérez sin tocar antes ningún otro lugar. Como no fue así, por necesidad tuve que iniciar mi viaje en la ciudad de México, hacer escala en otros lugares y luego seguir a Villa Escalante, el nombre moderno de Santa Clara del Cobre. La mayor parte del viaje la hice en autobús.

Santa Clara del Cobre, como los habitantes prefieren llamarla, está a catorce kilómetros al suroeste de Pátzcuaro. La insistencia de los habitantes de esa población en llamarla por su nombre antiguo parece justificarse por los trabajos en cobre que hacen los artesanos del lugar.

Lo primero que vi, al llegar, fue la pequeña plaza con sus árboles retorcidos de puro viejos que son. Desde la calle y al fondo de la plaza se vislumbra el atrio de la parroquia y las grandes puertas de ésta. Un kiosco luce orgulloso su techo de cobre en medio de la plaza. El kiosco parece una gran campana a punto de repicar al contacto de los candentes rayos del sol.

Las tiendas ofrecen a la venta toda clase de objetos de cobre, desde los enormes casos para los chicharrones hasta los pequeños adornos; desde los objetos más sencillos hasta los más complejos,

35

cargados de intrincados diseños. Con justa razón, creo yo, le llaman a esta población Santa Clara del Cobre.

Sobre la calle principal están los comercios de todo tipo. Una tienda luce orgullosa el subtítulo "La tierra de Pito Pérez", lo cual me hace pensar en la tienda del tío de Pito Pérez donde éste trabajó por algún tiempo y donde tuvo una de sus decepciones amorosas por borracho, aunque él la atribuyó a su mala suerte.

La parroquia es muy pequeña, como el pueblo mismo. Por uno de sus costados se está derrumbando y el agujero es tan grande que no necesita de ventanas. No dejó de sorprenderme que todavía estuviera en pie, a pesar del descuido en que ha caído. La tierra rojiza de que está hecha la pared da evidencia de la inclemencia de los elementos naturales. En realidad se ven dos construcciones juntas, como sobrepuestas: una de adobe y otra de piedra.

Me detuve frente a la parroquia para tratar de visualizar al niño Pito Pérez con su sotana de acólito, entrando y saliendo de la parroquia cuyo frente da a la segunda calle paralela a la Calle Real. Luego traté de imaginar el episodio del robo al Señor del Prendimiento y la huida de Pito Pérez para escapar del padre "Coscorrón" y lo vi corriendo por esa calle empedrada que conduce a su casa. Allí se quedaría algunos días hasta que su mala fama lo obligaría a abandonar, por primera vez, su pueblo.

Pito Pérez soñaba con volver victorioso, después de haber conquistado el mundo; sin embargo, años más tarde ascendería a la torre de la parroquia de su pueblo para "pescar recuerdos con el cebo del paisaje." (p. 12). Poco después se iría otra vez de su pueblo donde ya nadie le hacía caso. Había vuelto derrotado, y se iba derrotado.

Dos chicos, de unos diez o doce años, me volvieron a la realidad ofreciendo llevarme a las tiendas de artículos de cobre. Rehusé su ofrecimiento porque ya las había visto, pero, en cambio, les pedí que me llevaran a la casa de Pito Pérez, lo cual aceptaron hacer de buena gana. Me alegré de mi buena suerte. Me impresionó el contraste entre la calle principal y el resto de las calles de Santa Clara del Cobre. La avenida principal está pavimentada, es bulliciosa por sus establecimientos comerciales, y el tráfico local y foráneo; en cambio, las calles secundarias mejor cuidadas están sólo empedradas y sus pequeños comercios sirven, en su mayoría, a los residentes; el tráfico es mínimo y por lo mismo el silencio es casi pesado.

Las banquetas, donde las había, eran angostas y estaban en mal estado. Por eso preferí caminar a media calle, puesto que no tenía que preocuparme del tráfico. La mayoría de las puertas estaban cerradas. Pensé en un pueblo dormido o muerto Claro que el aspecto exterior es engañoso en estos pueblos mexicanos porque dentro de las altas paredes de adobe y las puertas cerradas puede haber gran actividad, pero escondida de los ojos curiosos. Algunos colegiales uniformados venían en dirección contraria y pasaban junto a la que fue casa de Pito Pérez sin siquiera echarle una mirada. Si Pito Pérez hubiera sido testigo de esta escena tal vez hubiese pensado que las cosas seguían igual que en su tiempo.

Pronto llegamos. Lo supe porque de pronto uno de los chicos me dijo: "Esta es la casa". Y así era, en efecto. Una casa como cualquiera otra, con su alta pared de adobe, blanqueadas, encerrando todo el patio donde Pito Pérez jugó y tocó su pito hasta fastidiar a los vecinos. La casa luce, en una de sus paredes, una placa que proclama que en ese lugar nació y vivió Jesús Pérez Gaona, alias Pito Pérez. La placa daba evidencia de que habían blanqueado las paredes recientemente porque la cal había dejado rayas que dificultaban leer la inscripción. Los paisanos de Pito Pérez han convertido esa casa en biblioteca pública. Sin duda que es una decisión acertada. La educación que le fue negada a Pito Pérez está al alcance de muchos niños ahora. El se quejaba: "Como todos los niños pobres, yo no tuve juguetes costosos ni diversiones presumidas." (p. 35).

No se sabe cuánto tiempo estuvo Pito Pérez fuera de su pueblo, pero cuando volvió ya había adquirido el vicio de tomar y podía competir con los más expertos bebedores y les ganaba. Cuando volvió, después de su primera salida, las campanas no repicaron, ni nadie supo que había regresado: "Hubiera podido llegar a mi tierra con el sol muy en alto, pero creí prudente esperar a que anocheciera, para no llamar la atención por las calles del pueblo" (p. 74). Su deseo de notoriedad había muerto como resultado de su fracaso.

El pasado distante y el pasado más cercano tienden a fundirse en la memoria de Pito Pérez, y cuando se encuentra con José Rubén Romero ya está a punto de abandonar Santa Clara del Cobre porque ya no puede vivir en un pueblo tan pequeño, o porque el hábito de vagar se le impone:

"—¿Y se estableció usted de nueva cuenta en su pueblo?
"—Por una temporada nada más, porque se hace vicio rodar por el mundo, y yo no renunciaré a mis viajes, aunque sólo sea de aquí a Opopeo. Así como la comida de la casa ajena nos resulta más sabrosa, el vino de otros pueblos para los borrachos tiene un sabor más incitante." (p. 77).

Durante sus subsecuentes visitas a Santa Clara del Cobre, Pito Pérez acudió a todas las tiendas donde vendían vino y fue huésped de la cárcel local varias veces. Además, al parecer, vivió ignorado de su propia familia para quien él era una vergüenza por su conducta y su aspecto exterior.

TECARIO

"—¿Y a dónde fue usted a parar, Pito Pérez?

"—A Tecario, al amanecer del siguiente día, cansado, muriéndome de hambre y de frío. Así me acerqué a la plaza en busca de algo qué comer y de algún sitio en donde calentarme." *(p. 38)*

"En un portal pequeño unas mujeres vendían tazas de café y de hojas de naranjo con sus buenos chorros de aguardiente." *(p. 39)*

"En un tendajón de las orillas de Tecario vendí el pan de azúcar, y seguí adelante, temeroso de que algún policía amargara con su presencia tanta dulzura." *(p. 42).*

Es claro que para que pudiera llegar tan pronto de Santa Clara del Cobre a Tecario, Pito Pérez tuvo que caminar casi en línea recta cruzando los altos montes que separan a un pueblo del otro. Ahora hay que hacer un gran rodeo para llegar a ese lugar: hay que ir a Tacámbaro primero y de allí es fácil hallar transportación a Tecario.

Tecario está a unos trece kilómetros pavimentados de Tacámbaro y hay autobuses y taxis que van y vienen continuamente entre estas dos poblaciones. La gente anda en constante actividad. Hay un gran movimiento de capital. Los árboles frutales y las plantaciones de aguacate y otros productos dan a los habitantes de Tecario un nivel elevado de prosperidad económica y, aunque a simple vista no parece un gran pueblo, se advierte que está a la puerta de un auge económico.

Las calles de Tecario, o son de tierra, o están empedradas. La plaza central es insignificante. La parroquia está como olvidada en un pequeño rincón. Nadie parece prestarle atención. El campanario está a punto de caerse, y si no se ha caído todavía es porque está, literalmente, apuntalado con un palo. El trabajo de adoquinado se ha suspendido en el atrio. La derrengada puerta está pintarrajeada de blanco mientras que la parte superior está al natural. Una enorme cruz está pegada a la pared de la capilla, olvidada por el tiempo y por la gente. Mientras tanto, las gentes hablan de transacciones por valor de varios miles y hasta cientos de miles de pesos. Quizá al descubrir su riqueza económica estén perdiendo su religiosidad.

Este no es el Tecario que conoció Pito Pérez. Este es un pueblo que despierta a la realidad michoacana de 1979. Los niños van a la escuela; unos caminan, otros van en autobús, o en taxi, pero todos parecen tener hambre de saber. Se les ve a lo largo del camino con sus cuadernos y libros en una mano y en la otra alguna fruta, especialmente mangos diminutos que parecen ser muy populares en esta región.

Los rancheros hablan de plantar cientos de aguacates, de ventas de terrenos a precios que desconcertarían a los capitalinos, de compras de vehículos al contado, de transportes dentro y fuera del estado. El pueblo es, entonces, engañosamente pobre, económicamente hablando.

La plaza estaba desolada. Aparentemente la manera de vivir de este pueblo ha cambiado radicalmente. Sólo unos niños sucios, demasiado pequeños para ir a la escuela, y con menos ropa de la que la decencia permite, deambulaban arrastrando sus pies sin zapatos a la orilla de la plaza.

Fue en este pueblo donde Pito Pérez empezó a beber "para calentarse". El lo dice así: "Esta fue la primera contribución que impuse a los tontos y mi entrada triunfal al país de los borrachos, porque las tazas que empiné, cargadas de aguardiente, me hicieron el efecto de un sol esplendoroso." (p. 41).

Pero Pito Pérez no se quedó en este pueblo sino que siguió su camino con rumbo suroeste y dice cómo lo hizo: "Con el pito en la boca pasé por los caminos, por la veredas, por los atajos de los montes soñando —¡iluso!— que enseñaría a cantar a los pájaros (...)" (pp. 42-43).

Yo también decidí salir de este pueblo y abordé un taxi que volvía a Tacámbaro y de allí seguiría, por otro lado, las aventuras de Pito Pérez.

TACAMBARO

"Desde la enorme tribuna del Cerro de la Mesa, en donde los plátanos enarbolan sus trémulos banderines, Tacámbaro abre todos los gajos de su tierra de promisión." (Desbandada, Obras completas, *p. 149)* **

Pito Pérez no menciona Tacámbaro como un lugar que haya tocado en sus correrías. Sin embargo, tiene importancia porque fue allí que vivió José Rubén Romero como tendero en "La Fama" Sin duda fue allí que se documentó con respecto a las costumbres de las gentes de los pueblos y ranchos vecinos.

Mis recuerdos de esta ciudad son gratos porque llegué ya de noche y lo primero que hice fue buscar alojamiento y pregunté a unos jóvenes:

—¿Donde hay un buen hotel?

—Pues mire usted, hay dos aquí cerca, a una calle hay uno y el otro está enfrente, pero dicen que hay ratas en éste. Yo no puedo asegurarlo porque nunca me he quedado en este hotel, pero usted puede hacerlo y luego me dice si es cierto. El mejor hotel, según dicen las gentes, está al otro lado de la plaza, detrás de la Presidencia Municipal.

Yo que había pasado dos noches miserables, sin poder dormir, opté inmediatamente por el mejor hotel y, en efecto, resultó ser excelente en todo sentido. Necesitaba descansar para, al día siguiente, dar alcance a Pito Pérez que avanzaba cruzando monta

* * *Desbandada*, según aparece en *Obras completas* de José Rubén Romero, Editorial Porrúa, S.A., México. 1975, p. 149.

ñas y durmiendo a campo abierto, mientras que yo dormía en mullido lecho. Por primera vez, esa semana, podía bañarme con agua caliente y dormir sin la molestia de los mosquitos.

Tacámbaro es un pueblo de gran actividad. Con razón José Rubén Romero lo escogió para poner su tienda según lo dice él mismo en *Desbandada:* "Mi tienda ocupa el local más acreditado del pueblo, según dicen los conocedores." (p. 154).

Tacámbaro es la metrópoli de la región. Hay pueblos y ranchos cercanos de donde llegan gentes a comprar y vender, o de paso hacia Morelia o Uruapan y otros lugares. Claro que las grandes cargas de productos no se quedan en Tacámbaro sino que salen para Uruapan, Pátzcuaro, Morelia y hasta el Distrito Federal.

En *Desbandada,* José Rubén Romero retrata bien a varios de estos individuos que fundieron sus virtudes y defectos con los de Pito Pérez.

URAPA

*"Pian pianito llegué a Urapa, y en
este pueblo rabón, situado ya en tierra
caliente, me ofrecí como mancebo de
botica." (p. 43)*

*"Además, Urapa es un pueblo chico
de pocos habitantes." (p. 51)*

Para los habitantes de Ario de Rosales, Urapa es "Urapita".
Posiblemente sea esto un esfuerzo inconsciente para no confudir
este nombre con Uruapan.

Un taxista me llevó de Ario de Rosales a Urapa, que está a
unos diez kilómetros al sureste de Ario de Rosales. Esto quiere
decir que yo me acercaba a Urapa por el oeste, mientras que Pito
Pérez había llegado por el este, ya que marchaba de norte a
suroeste y resulta que, en línea recta, Urapa está, aproximadamente, a la mitad de la distancia entre Tecario y La Huacana. Pero
los caminos modernos no siguen esa ruta, de modo que hay que
dar un gran rodeo.

El camino a Urapa, que parte del que va a La Huacana, es
de grava, y aunque hay camiones y camionetas que van y vienen
entre Ario de Rosales y Urapa, su horario es incierto y su marcha
lenta, cansada y polvorienta.

Urapa es un poblado que por mucho tiempo no conoció el
significado de las palabras desarrollo y progreso. Pero ahora vive
en constante agitación; parece incorporarse al progreso y a la
civilización, así de golpe, sin pasar por un período de transición.

Sus calles son angostas y cortas. Las casas de adobe se mezclan con cabañas de madera y los techos de ladrillo lucen su colorido ante los techos de paja de las casas más humildes.

La plaza está, como siempre, en medio de un cuadro de casas y comercios. La parroquia no está precisamente en la esquina y enfrente de la plaza, como era de esperarse, sino en medio de una manzana y apenas toca una esquina de la plaza, pero se las arregla para mirar como con el rabo del ojo, furtivamente desde un ángulo difícil, sobre la plaza.

Entre los establecimientos comerciales que circundan la plaza debe estar la que fue la "Farmacia de la Providencia" donde trabajó Pito Pérez como "químico" y empleado de confianza. Fue en este pueblo donde Jovita, la boticaria, sedujo a Pito Pérez, que en ese entonces debió haber sido, a lo sumo, un adolescente, a juzgar por lo ocurrido cuando el boticario descubrió el engaño de su esposa: "Salí del cuarto tropezando con los muebles, mientras el boticario despertaba de su asombro y con una elocuencia arrolladora llamaba a su mujer puta, malagradecida y sonsacadora de menores." (p. 54).

Ha de recordarse que ésta era la primera salida de Pito Pérez y entonces carecía de experiencia en las cosas del mundo, particularmente en las cosas del amor; pero parecía aprender muy pronto.

Urapa sigue siendo un pueblo de pocos habitantes, aunque ya empieza a dar señales de crecimiento, gracias a las huertas de aguacate y a la explotación de las maderas y resinas. Sin embargo, es un pueblo tan pequeño que cuando un forastero llega se convierte éste en el centro de todas las miradas de las pocas gentes que se ven por las calles o en las puertas de las tiendas.

El pueblo empieza a despertar de su letargo y ya no se conforma con sus calles de tierra aplanada o empedradas, ni con su carretera de grava, sino que ya se habla de pavimento. Pero, según la opinión de las gentes, todavía pasará mucho tiempo antes de que se vean realizados estos sueños de progreso.

No se sabe cuánto tiempo estuvo Pito Pérez en este pueblo, y cuando lo dejó tuvo que hacerlo a toda prisa para escapar de "las iras del aquel marido coronado." (p. 55). Pero también tenía mucho terreno qué cubrir y, con el ansia de comenzar el viaje, dejó sus ahorros y pertenencias. Llegó sin nada a Urapa, y también salió sin nada.

También yo dejé el pueblo atrás para tratar de descubrir alguna huella de Pito Pérez en el siguiente poblado: La Huacana.

LA HUACANA

"Tendí el vuelo a La Huacana." (p. 57)
"—Pero ya no divague tanto, Pito Pérez, cuénteme lo que hizo al llegar a La Huacana."

"—Sentarme en un banco de la plaza, debajo de unos tamarindos tan floreados que parecían un palio de tisú extendido por primera vez sobre la cabeza de un caminante." (pp. 61-62)

Al salir de Urapa tuve que volver a la carretera que va de Ario de Rosales a La Huacana. A medida que avanzábamos —el taxista y yo—, el camino parecía elevarse. El día estaba claro y el sol nos castigaba con la fuerza de sus rayos. El paisaje se extendía exuberante. La sierra estaba cubierta de aguacates y de árboles que lloraban su resina para beneficio y alegría de las gentes.

Sin embargo, al llegar a cierto lugar, al dar la vuelta a uno de tantos cerros elevados, así, de pronto, un cambio total me dio de lleno en la cara. Las montañas que por el lado de Ario de Rosales estaban cubiertas de hermosos y gigantescos árboles, por el lado de La Huacana mostraban sus flancos casi desnudos. En algunos lugares se veían algunas palmeras que, como vigilantes solitarios, rompían la monotonía árida del paisaje. La vegetación se reducía, en su mayor parte, a breñales.

Así principia el descenso a la tierra caliente. La bajada se inicia a la vuelta y vuelta por curvas cerradas hasta que, a lo lejos, se

47

divisa una laguna, como un ojo gigantesco, entre las altas montañas, el cual anuncia, a las gentes de estos lugares, que La Huacana ya está cerca. Efectivamente, continuando el descenso, pronto se ve un verdor, como oasis, que interrumpe la aridez del paisaje. Es La Huacana. Las altas palmeras me produjeron la impresión de pajarillos estirando el pescuezo para pedir alimento de sus padres. Así me pareció, sin duda, porque La Huacana está como en un nido; más bien un hoyo en la tierra caliente de Michoacán.

La Huacana es también una escala para los camiones de pasajeros que van a Apatzingán y, como oasis, ofrece descanso y refrigerio al viajero que debe seguir su camino.

La parroquia, donde Pito Pérez ayudó al padre Pureco, bien puede ser el edificio viejo, identificable por su cúpula. Esta es una cúpula escondida detrás de un edificio viejo frontal. Casi pasa desapercibida al visitante casual.

Me detuve frente a ese edificio, en franca decadencia, para imaginar a Pito Pérez, que se acomodaba en el confesionario para establecer contacto con el sacerdote a quien conocía. Casi podía yo verlo, después en la sacristía, cumpliendo con los diarios menesteres del oficio sagrado y, al mismo tiempo, preparando su lista de latinajos para el padre Pureco. No se sabe cuánto tiempo pasó en el desempeño de este trabajo, pero debió ser considerable ya que fue allí donde contrajo malaria.

La parroquia que está en servicio ahora es de construcción moderna y sin pretensión alguna. Los grandes árboles de la plaza, los tamarindos enormes bajo de los cuales se sentó Pito Pérez al llegar a La Huacana, casi ocultan la parroquia a los ojos del público; pero una vez que se descubre se ve un hermoso mosaico sobre la puerta.

Entre otras, cosas, observé que aunque hay árboles muy frondosos y muy altos por lo viejo que son, las palmeras abundan, como en una película del Oriente. Las palmeras dan a La Huacana, como ya dije antes, una apariencia de oasis.

Los comerciantes alrededor de la plaza no parecen hacer grandes negocios. Tal vez debido a la hora en que llegué —a eso de la media tarde—, la hora de la somnolencia en ese clima cálido.

Algunos comercios estaban cerrados, quizá por cuestión de la tradicional siesta. Una tienda de discos y cassettes estaba abierta. La música que tocaban era moderna y ruidosa. Allí vendían gaseosas. Mi taxista y yo fuimos a tomarnos un refresco de naranja él, y yo un agua de tehuacán.

Me alegré de no haber tenido que recorrer a pie la distancia de Urapa a La Huacana, como lo hizo Pito Pérez. Claro que el susto que él llevaba dentro le dio alas en los pies, no sólo para correr, sino hasta para volar.

No se sabe todo lo que hizo Pito Pérez en La Huacana. Según su propio testimonio, fue allí donde menos licor bebió y donde trabajó más. Pero como la sobriedad no era ya de su gusto, buscó la oportunidad de salir de este pueblo. Fue allí también donde contrajo malaria, comúnmente conocida como paludismo. Todas estas cosas, más la tiranía del padre Pureco, hicieron que Pito Pérez buscara el abrigo de su casa. La nostalgia de su tierra se hizo tan fuerte que, como hijo pródigo, emprendió el regreso a Santa Clara del Cobre, y así cierra el triángulo —o círculo— de su primera salida: "De La Huacana hice dos días a Ario, y otros dos días de este pueblo a Santa Clara, pernoctando en los montes, tan debilitado por la fiebre y el cansancio, que las estrellas me parecían cirios mortuorios temblando en torno a mi cadáver." (p. 74).

Después de ir a La Huacana, yo también tuve que volver a Santa Clara, pasando por Ario de Rosales, camino de Opopeo.

ARIO DE ROSALES

"Llegué a Ario de Rosales en busca de trabajo. Me ofrecí como boticario, como barbero, como sacristán, rondé los juzgados para ver si alguien necesitaba presentar alguna demanda: todo inútil. O mi persona a simple vista no inspiraba confianza, o el pueblo había adoptado esta doctrina americana: Ario para los arienses." (pp. 128-29)

"Después de conocer las calles, fui a instalarme en una luneta de la plaza, a donde momentos después llegó el comandante de policía, diciéndome que el jefe político quería verme." (p. 130)

"Hizo que me comiera el periódico, mascándolo sabrosamente, lo mismo que si se tratara de un delicioso manjar." (p. 131)

"Una cuaresma pasé metido en aquella cárcel." (p. 131)

Debido a la corta distancia entre Ario de Rosales y Santa Clara, la gente va y viene de un pueblo al otro con relativa frecuencia. Pito Pérez pudo haber viajado, igualmente, entre estos dos lugares muchas veces. Una de estas veces fue a Ario en busca de trabajo y al fin consiguió empleo como editor de un periódico. Este empleo le duró sólo hasta que salió el número anunciado. Pito Pérez fue a dar a la cárcel por ser el editor responsable de un periódico que criticaba duramente al jefe político.

Ario de Rosales no es un pueblo grande, pero es el centro de gran actividad comercial. Un sitio de taxis está anclado sobre el costado de la plaza que da a la parroquia. Los taxis llegan y parten cada minuto. Aquí, la gente que tiene dinero hace buenos negocios y gasta a manos llenas; y la gente pobre exhibe su miseria sin embarazo.

Sobre la calle principal, al costado de la parroquia, pero no frente a la plaza, están los juzgados y las oficinas de gobierno donde Pito Pérez buscó empleo. Allí también están la comandancia y la cárcel donde Pito Pérez sí halló alojamiento.

Fue en esta cárcel donde Pito Pérez desempeñó el papel de Jesús en la escenificación de la crucifixión. Esta escena es de tragedia y humor. Pito Pérez parece reírse del machismo de sus compañeros de prisión y satirizar sus prácticas religiosas.

Durante el tiempo que pasé observando la parroquia —un tiempo considerable— no vi a nadie que entrara o saliera del templo, aunque las puertas estaban abiertas. Tal vez por esa inactividad Pito Pérez no pudo hallar empleo de sacristán. En casi todos los pueblos que visité vi cierta actividad en las parroquias; pero no fue así en Ario.

No estoy insinuando, de manera alguna, que la gente de Ario no sea religiosa, o tan religiosa como en otros pueblos de Michoacán. Simplemente digo que durante el tiempo que observé la parroquia no vi actividad alguna. Tal vez se haya debido a la hora en que estuve allí, poco después del mediodía. No es una hora propicia para actos religiosos.

Al regresar de su primera salida, Pito Pérez no se detuvo en Ario, sino que pasó de largo para llegar cuanto antes a su casa. Allí en Santa Clara del Cobre recomenzó su carrera de borracho y se quedó el tiempo suficiente para trabajar, aquí y allí, esporádicamente; y para enamorarse y desenamorarse un par de veces, cuando menos.

En una ocasión que volvía más próspero que de ordinario, quiso que todo el pueblo supiera que había regresado: "Impusiéronme ochos días de arresto por repicar las campanas de mi parroquia, para autoagasajarme al volver a mi pueblo, poseedor de un sombrero de bola, un bastón y un traje nuevo." (p. 119).

En Santa Clara, mientras trabajaba en la tienda de su tío, imaginó ser un Robin Hood y con las mercancías de su tío socorrió a cuántos vividores quisieron y pudieron aprovecharse de la bondad de Pito Pérez. Claro que cuando volvió su tío, se acabó el empleo, y así quedó en libertad de seguir sus aventuras. Y yo seguí buscando su pista.

PARTE II

En mi búsqueda de las huellas de Pito Pérez no siempre me guió la razón ni la lógica, sino que, en ocasiones, dejé que mi guía fuera el instinto o el impulso del momento. Esto fue posible porque las subsecuentes salidas de Pito Pérez no pueden seguirse de una manera cronológica. Por lo tanto, decidí que lo mejor sería visitar los lugares mencionados en *La vida inútil de Pito Pérez* en el orden que me fuera más conveniente.

El único autobús que estaba a punto de salir de la capital mexicana era uno que iba a La Piedad. Lo abordé sin pensarlo mucho porque así podría ver, a vuelo de pájaro, una de las ciudades donde laboró José Rubén Romero. El viaje fue largo y cansado, pero lo juzgué necesario para formarme una idea cabal del creador y del personaje Pito Pérez, puesto que, sin duda, el ambiente lo influyó considerablemente.

El autobús se aproximaba a La Piedad por el camino de Pénjamo, Guanajuato. La Piedad apenas logra situarse en el estado de Michoacán, porque casi se escapa a Guanajuato por el noreste o a Jalisco por el noroeste.

Después de una breve visita a esta ciudad, salí para Zamora, la primera ciudad de interés para mi proyecto en este viaje.

ZAMORA

"—Pero, ¿vive usted con alguna mujer, Pito Pérez?

"—Desde que la rapté, hace tiempo, del hospital de Zamora.

"—La tenían encerrada en un cuarto contiguo a la administración. Una sola vez la vi, pero me bastó para que decidiera llevármela, y así lo hice." (p. 176)

"—¡Pues de quién se ha de tratar! Del esqueleto de una mujer, armado cuidadosamente por el médico de Zamora y utilizado por los practicantes del hospital para estudiar anatomía." (p. 178)

Llegué a Zamora, una vieja ciudad, a eso de la media tarde. Había llovido toda la mañana y todavía lloviznaba. Las calles, poco limpias, se veían más sucias con el lodo, pero donde estaban limpias relumbraban como espejos rotos. Al bajar del autobús los pasajeros avanzábamos a saltos irregulares para evitar los charcos de agua y lodo. Los perros flácos y hambrientos peleaban por algún resto de basura.

Camino al centro pasé por el mercado con todos sus olores y las lonas que servían de techos a los puestos que ocupaban las banquetas y hasta las calles seguían escurriendo agua.

Me interesaba ver la parroquia que domina la plaza. En el centro de ésta se encuentra el tradicional kiosco, con sus paredes de azulejos, pero ahora luce un techo de plástico con faldas de aluminio. La parroquia ocupa solamente la mitad de la manzana y la otra mitad ostenta consabidos portales, que en la esquina izquierda —si está uno enfrente de la parroquia— se interrumpen para dar paso al tráfico moderno y luego continúan por el otro costado de la plaza.

Al otro lado, opuesto a la parroquia, hay una tercera parte de arcos, y el resto de la parte frontal de la manzana lo ocupan edificios de construcción más reciente, y el más vistoso es un edificio de granito artificial y vidrio en su mayor parte. Por el otro costado de la plaza no quedan ni vestigios de arcos. Tal vez nunca los hubo. La mayor parte del frente de esa manzana lo ocupan comercios modernos; las oficinas del gobierno local y la cárcel apenas se distinguen. Hay que buscar con gran cuidado para poder verlas. Producen la impresión de querer pasar por alto, de querer esconderse, como si se avergonzaran de estar allí, tan fuera de lugar; y sin embargo, desempeñan su función. Enfrente de la cárcel estaba estacionada una camioneta con su letrero "Policía". Así supe dónde estaba la cárcel.

Por otra parte, me pareció imposible imaginar que Pito Pérez pudiera haber estado en esta cárcel que parecía tan elegante, con sus grandes puertas de vidrio y sus pisos de mosaico, que sin duda rehusaría aceptar en sus entrañas al sucio y maloliente Pito Pérez. Por otra parte, Pito Pérez dice: "No he tenido aún la suerte de llegar a una de esas cárceles modernas, en donde, según dicen, todo es confort y costumbres refinadas; donde los presos visten elegantes uniformes, que se han puesto de moda fuera de los penales como ropa de dormir y con el nombre de *pijamas.*" (p. 116). Además, Pito Pérez no dice haber estado en la cárcel de Zamora, sino en el hospital de esta ciudad.

El diminuto hospital se encuentra en la calle que está precisamente detrás de la parroquia. Está un tanto modernizado, pero todavía muestra su pequeñez, como si no hubiera necesidad de él, ni suficientes enfermos que justifiquen su existencia, pero luce orgulloso su título de "Hospital Civil".

La importancia de este hospital radica, si se recuerda, en la declaración de Pito Pérez de que fue allí de donde se robó la Caneca, su inseparable compañera hasta el día de su muerte.

Las paredes de los edificios de Zamora son, en su mayoría, de adobe y dan la impresión de rehusar ceder su lugar a otro tipo de construcción, aunque no lo logren totalmente. Es Zamora, sencillamente, un pueblo viejo que se aferra a sus tradiciones, a sus calles angostas y a su ritmo de vida característico de otro siglo.

Me fue preciso esperar un gran rato la salida del autobús a Jiquilpan y, para pasar el tiempo, me entretuve observando a la gente, en su mayoría viajeros y comerciantes. Me estacioné a la puerta del expendio de boletos y vi a un borrachito que se tambaleaba cerca de un autobús estacionado a la orilla de la banqueta y un policía gordo e imponente que lo miraba cuidadosamente. Sin duda me distraje porque cuando concentré mi atención en ese cuadro escuché el siguiente diálogo:

—¿A poco va a golpearme y luego meterme en la cárcel?

—Si no te portas bien, ya verás que sí.

—Pero es que no he hecho nada. ¿A poco nomás por borracho?

—No me contestes ni te me pongas al brinco, o te llevo ahora mismo, después de darte unos cuantos trancazos para que se te quite lo...

Hizo ademán de golpearlo y el borrachito se preparó para protegerse la cabeza con los brazos. Pero en ese momento el policía sintió que estaba yo cerca de ellos y que los observaba sin pestañear; me miró directamente a los ojos y sonrió, quizá hasta se sintiera más humano; yo le sonreí a mi vez y el borrachito aprovechó la interrupción para irse con su música a otra parte, como dice el refrán; como el ratón que aprovecha la distracción del gato para huir; o como una bestia acorralada que aprovecha el arco iris como una puerta de salida para escapar de la tempestad amenazadora.

A Pito Pérez pudo haberle ocurrido lo mismo. En su ebriedad no podía controlar su lengua —tampoco podía hacerlo cuando estaba sobrio—, y al contestar a los representantes de la autoridad se acarreaba el castigo inevitable de ir a dormir a la cárcel, cuando menos hasta que se le pasara la borrachera, o hasta que se le antojara al Presidente Municipal, o al jefe político.

Aunque por las calles zamoranas transitan toda clase de vehículos modernos, los carruajes de uno y de dos caballos insisten en hacer su presencia por todas partes. Algunas gentes parecen preferir este último tipo de transportación.

Eché una última mirada a la plaza adornada de hermosos colorines y palmeras, así como de un busto verdoso de Morelos, montado sobre su estrado de piedra. Los jardines bien cuidados exhiben su belleza limpia, resultado de la reciente lluvia.

La lluvia había cesado y el sol se reflejaba en los charcos de agua de las calles y banquetas libres de puestos y basura. En las bancas de hierro de la plaza se habían acomodado algunas gentes para gozarse en la contemplación de los árboles húmedos todavía, o en la observación de las gentes que iban y venían en el desempeño de sus tareas. Noté que el reloj de la parroquia indicaba las 3:50 de la tarde. El autobús salía lentamente, pasando con pereza por el centro de Zamora con rumbo a Jiquilpan.

JIQUILPAN

"En otra ocasión, mientras tomaba un plato de menudo en un portal de Jiquilpan, dije en voz alta que en aquel pueblo no tenían agua, al grado de que ponían el cocido con aguardiente y se lavaban las manos con cerveza. Por eso me llevaron a la cárcel." (p. 124)

Según testimonio de Pito Pérez, él fue huésped de la cárcel de esta población que permanecería olvidada si los Cárdenas no la hubieran hecho famosa y, en lo que toca a mí, es importante porque Pito Pérez estuvo allí.

Desde lejos se ven blanquear las paredes de Jiquilpan, en medio de las montañas. El autobús en el que yo iba había seguido un camino sinuoso por un buen rato y así, de pronto, al dar una vuelta, el camino desembocaba en la calle principal y luego se escaparía por el otro extremo de la adormilada villa.

Sobre la calle principal hay un parque de enormes árboles rodeado de escuelas y precedido por una gran estatua de Dámaso Cárdenas, ex Gobernador de Michoacán. Al extremo opuesto, pero siempre sobre la calle principal, se encuentra la estatua del ex Presidente de México, Lázaro Cárdenas. Más o menos en un punto medio entre estas dos estatuas, que se levantan como centinelas de su pueblo, está la modesta casa donde nació Lázaro Cárdenas. Una placa anuncia al visitante curioso quién vivió en esa casa ya que los residentes no le prestan atención, tal vez por la excesiva familiaridad con el lugar. La casa es típica de la región, con su pared blanca y franjas de un rojo de ladrillo que armoniza con las otras viviendas.

A unas cuadras de distancia, pero laterales a la calle principal se encuentran dos plazas: una enfrente de la parroquia, y por ello adquiere importancia; la otra, una cuadra más lejos, se encuentra rodeada de los consabidos portales que abrigan en su interior comercios de toda clase.

Al caer la tarde, fresca, los jóvenes se sientan en las bancas de hierro de la plaza, o marchan alrededor del kiosco. Este indica cuál es la plaza principal. Junto a la plaza hay un restaurante que me pareció apropiado para cenar, y allá me fui. Me acomodé de manera que pudiera observar el movimiento en la plaza principal. La gente iba y venía, sin apuraciones. No vi, por ninguna parte, ni borrachos ni mendigos, quizá por lo temprano de la hora.

Mientras esperaba que me sirvieran noté que un hombre llegó a la esquina de enfrente con una gran tina de hojalata que, a juzgar por el esfuerzo con que la transportaba, debía pesar bastante. Una niña lo seguía con una sillita que parecía de juguete, y un chico llevaba un brasero sobre el que pusieron la tina. Pronto empezó a vender elotes hervidos a los que añadía sal, salsa o gotas de limón. Sin duda el negocio era bueno porque las gentes rodeaban constantemente al vendedor.

Al otro lado de la calle, y sobre la plaza, un jovencito estacionó su carrito y se puso a vender *hot dogs* y hamburguesas —claramente algo atípico de la región, pero de buen mercado—, y otro chico vendía paletas.

Hay una tercera plaza con dos perros de bronce que guardan uno de los costados de la plaza y su estatua al centro. Al ver este cuadro, involuntariamente se piensa en la mitología romana, o en su defecto, se visualiza una escena de caza del viejo sur de los Estados Unidos.

El templo principal es sumamente sencillo y sólo tiene un pequeño pero bien cuidado atrio. Sus líneas son clásicas. Su torre solitaria evoca un índice que apunta al cielo nublado, mientras que el resto palidece de vergüenza ante tal audacia. La parroquia es un bello conjunto, que contrasta, por su simplicidad, con el majestuoso templo de hermosas torres de ladrillo rojo que se antoja una construcción arabesca. Ese templo merece el nombre de catedral por lo imponente, y se encuentra cerca de una de las avenidas que circundan Jiquilpan. El interior de este suntuoso templo es igualmente bello, aunque carece de ornamentación característica del barroco europeo o mexicano que no parecen haber llegado hasta este apartado rincón michoacano.

Me alojé en un hotelito que, sin ser el mejor del pueblo, me pareció lo suficientemente limpio y céntrico, aunque modesto. Estaba en proceso de renovación. El dueño —eso creo que era— me mostró el cuarto que estaba cerrado con un candado, después de abrirlo se quedó con la llave. Me informó que habría agua caliente de las seis a las nueve de la mañana. Yo que necesitaba un baño antes de acostarme, porque había sudado todo el día, tendría que bañarme con agua fría. Afortunadamente hacía calor y se apetecía el agua fresca en el baño.

Lo que por una parte era ventaja, por otra resultó ser una molestia. El calor me hacía desear el agua fresca para el baño, pero el calor también había producido una buena cantidad de mosquitos y, al apagar la luz, pronto fui objeto de la serenata de los molestos insectos —Pito Pérez habría dicho "gallo"— que tocaban sus cornetitas a cambio de mi sangre.

Encendí la luz y entonces advertí que las paredes lucían manchas irregulares de color rojo ennegrecido donde los huéspedes que me precedieron habían dado buena cuenta de los atrevidos músicos nocturnos. Me vi obligado a seguir tan artístico ejemplo y pasé buena parte de la noche en una guerra silenciosa contra los necios atacantes. Apagaba la luz y permanecía inmóvil en la cama para animar a los mosquitos a salir de sus escondites y tener un festín a mis expensas y rápidamente prendía la luz y me dedicaba a palmotear las paredes con la esperanza de matar algún mosquito; sin embargo, la tarea no era fácil porque los combatientes eran experimentados y huían a tiempo de evitar el golpe. Quizá yo fuera demasiado lento por no estar acostumbrado a esa clase de ejercicio. El caso es que esto se repitió una y otra vez hasta el cansancio. Claro que yo fui quien se cansó. Me sentí frustrado y molesto por no poder dormir después de un día de muchas actividades.

Pocas veces he deseado tanto que amaneciera pronto para abandonar el campo de batalla con un resto de dignidad, aunque en total derrota porque me fue imposible vencer a mis adversarios los mosquitos que tenían la habilidad increíble de hacerse invisibles cuando encendía la luz y al apagarla me hacían sentir sus clarines burlones en mis oídos y sus piquetes en la cara y en los brazos.

Repetidas veces me pregunté si Pito Pérez también sentiría las picaduras de estos molestos insectos mientras comía su menudo, o trataba de dormir en la cárcel. Se me ocurrió que posiblemente Pito Pérez ni siquiera sentiría las picaduras por su intoxicación, o tal vez emborrachara a los mosquitos con el alto contenido alcohólico de su sangre.

Por la mañana me dediqué a fotografiar los lugares que me parecieron apropiados para revivir, posteriormente, mi estancia en Jiquilpan y poder reconstruir los trabajos y penas de Pito Pérez en esta población. Pero el hotelito y sus mosquitos pasarán al olvido del que nunca debieron salir.

COTIJA

"Estuve en el hospital de Cotija, y de veintiocho enfermos soy el único superviviente." (p. 159)

Se honra esta ciudad por ser la cuna de José Rubén Romero; pero se deshonra por haberlo expulsado a una temprana edad por el liberalismo de su padre. Sin embargo, gracias a esta expulsión José Rubén Romero conoció, personalmente, su estado michoacano y a Pito Pérez. Ahora una casa exhibe con orgullo una placa que proclama que allí nació y vivió el gran escritor michoacano. Tal vez el hospital debiera tener una placa diciendo que allí estuvo Pito Pérez a punto de morir, y habría muerto de no escaparse.

No deja de sorprender el que un hospital tan pequeño haya tenido tantos enfermos. Ha de recordarse que fue en esta ciudad, que casi se escapa del estado de Michoacán por el costado occidental, donde Pito Pérez casi muere a manos de un "sabio eminente (que) había clasificado más de veinte mil plantas de la flora de nuestro país y ensayaba en nosotros sus propiedades terapéuticas clasificándolas a costa de los enfermos."

"Yo pude escapar de las escoletas de este médico famoso, debido a que salté muy a tiempo las tapias del hospital." (p. 160).

Cotija tiene la fama de ser la tierra de las mujeres más hermosas de Michoacán, según dicen las gentes de la región. Y, por los ejemplos que vi, yo tengo que estar de acuerdo.

URUAPAN

"En Uruapan fui a hospedarme con un amigote, pero su mujer puso el grito en el cielo al enterarse de que yo entraba en su casa muy acompañado, y con lágrimas y aspavientos, pidió a su marido que nos echara." (p. 177)

Ya otra vez en Zamora, emprendí la jornada a Uruapan. Es oportuno recordar que Pito Pérez hizo esta jornada acompañado de la Caneca "atravesando la sierra de Purépero", lo cual yo no intenté hacer a pie porque no tenía una Caneca que esconder y porque no tenía tanto tiempo como Pito Pérez para hacer la travesía; pero sobre todo, porque soy más perezoso que él.

No se sabe cuánto tiempo necesitó Pito Pérez para hacer el viaje que, en autobús y a pesar de los rodeos, yo hice en un par de horas.

Como otras grandes ciudades mexicanas que he visto, Uruapan goza de una central camionera que será más atractiva cuando esté totalmente terminada. Cuando yo estuve allí, esperando que saliera mi autobús para Tancítaro, me entretuve mirando a los trabajadores que instalaban las puertas en las casillas de futuros comercios. Ya cuenta la central camionera con un número de establecimientos comerciales y hasta un restaurante de autoservicio.

El autobús que me llevaría a Tancítaro saldría en unas horas de modo que tenía tiempo para tomar un camión urbano para ir a la ciudad a fin de ver otra vez lo que casi había olvidado: una larga plaza vigilada por dos parroquias de arquitectura sencilla.

La plaza es diferente a las de otros pueblos michoacanos. Más parece ser una sarta de plazas con monumentos, fuentes, jardines y un pequeño paseo en uno de sus extremos. Más o menos a la mitad de la plaza hay un gran monumento a Morelos; alrededor de la plaza hay portales que, de cuando en cuando, ceden su lugar a otros edificios. Los templos que mantienen sus puertas abiertas, como ojos vigilantes sobre la plaza, son de construcción diferente. La puerta ojival de uno enmarca la entrada al atrio y a un lado se ve la Biblioteca Municipal que parece un gran parche blanco sobre la parroquia de paredes viejas y de color indefinido.

El Palacio Municipal no está debajo de los arcos sino que está montado en un segundo piso como para ver mejor lo que pasa en la plaza y su anuncio de letras temblorosas descubre su identidad a todo el mundo. El Palacio puede parecer cualquier cosa, menos un palacio. Este Palacio tiene techo de teja que se confunde con el techo de otros edificios y está junto a la parroquia que, con sus torres y cúpulas, parece proclamar su importancia. Los comercios, señal de la época moderna, rodean la plaza desde el fondo de los portales.

En la plaza, además de la estatua de Morelos, hay un águila de gran tamaño y un busto que no pude identificar desde el ángulo en que me había colocado para fotografiar la plaza. Es este acumulamiento de estatuas que me sugirió la idea de una sarta de plazas en fila, como un tren con los pasajeros sacando la cabeza por las ventanillas.

Las neverías hacían buen negocio en el caluroso día. Chicos y grandes llevaban su "barquillo" en la mano y se relamían los labios después de cada mordida. Yo los vi comiendo con tanto gusto que decidí unirme a ellos y compré mi barquillo de dos sabores.

Las palmas se mezclaban con los aguacates en este clima cálido y húmedo en ciertos meses del año, y frío y húmedo el resto del tiempo.

De Uruapan puede uno ir a la sierra y, en consecuencia, a la tierra fría, o puede uno ir a la tierra caliente. Uruapan es como la puerta de dos infiernos: el uno es frío y el otro es caliente, pero ambos, al fin, infiernos. A decir verdad nunca he oído hablar, ni he leído de un infierno frío. Dante olvidó incluirlo en su obra, pero eso no niega la posibilidad de que tal lugar exista. Pero esto es adelantarme.

Pito Pérez no destacó en cuanto a su estancia en Uruapan. Sin embargo, es de suponerse que observara sus costumbres adquiridas al través de los años y que habrá buscado algún lugar para echarse un trago, que alguien más pagaría, antes de proseguir su viaje llevando a cuestas la Caneca.

Abordé el camión local para irme a la central camionera. El autobús urbano se metía por calles tan empinadas que a veces dudaba yo que pudiera ascender, y tan angostas que de puro milagro no lo redujeron al tamaño y la forma de un churro. Pasamos por calles y calles y luego frente a la estación del ferrocarril. Por todas partes se veían platanares y huertas de aguacates, salpicadas de palmeras.

El autobús que me llevaría a Tancítaro se daba el lujo de anunciar sus asientos numerados. La salida se efectuó a tiempo. Nuestra meta: Tancítaro, a unos cincuenta y siete kilómetros de Uruapan. Parece una corta distancia, y así lo creí al principio, pero el viaje me haría saber lo contrario.

TANCITARO

*"Porque en la populosa ciudad de
Tancítaro, grité borracho: ¡muera el cura
Hidalgo!, quince días de cárcel, sin
lograr convencer a las autoridades de
que mi grito para nada influyó en la
muerte de tan preclaro varón, definiti-
vamente fusilado un siglo antes de que
yo lo proclamara." (p. 119)*

A las 2:30 p.m. el autobús salió de la central camionera. Muy
a tiempo. Se metió por esas calles estrechas y amenazadoras de
Uruapan. La caja de velocidades crujía y el motor acelerado rugía
al sincronizarse para vencer la empinada calle.

Quedaba atrás la ciudad con sus techos rojos, sus paredes
blancas y sus huertas verdes, todo parece una bandera mexicana
un tanto en desorden. Difícil sería decir qué color impera. El autobús avanzó sólo unos minutos antes de hacer su primera parada
en El Nuevo San Juan, simétricamente edificado, con sus paredes
luciendo su encalado nuevo. Realmente parecía un pueblo nuevo:
al menos sus vestiduras eran nuevas. Su parroquia es de estructura
tradicional, aunque, como era de esperarse, de materiales modernos.

El chofer, su ayudante y otros amigos de ellos, se bajaron para
comprar carnitas de puerco y un buen altero de tortillas, así como
grandes botellas de soda para bajarse las indigestas carnitas.

Aproveché la oportunidad para tomar algunas fotos del kiosco
blanco y rojo que dominaba la plaza, con sus árboles recientemente

plantados, al costado de la parroquia, misma que sólo pude admirar a mi gusto en mi viaje de regreso porque el autobús hizo una breve parada precisamente enfrente del templo. Incidentalmente, fue en Tancítaro donde me enteré de que el aspecto nuevo que lucía El Nuevo San Juan se debía a la reciente visita del Presidente de México, el Licenciado José López Portillo. Involuntariamente sentí el deseo de que el Presidente visitara otros pueblos a fin de que los ciudadanos embellecieran, cuando menos, el exterior de sus viviendas.

Al fin el autobús siguió su marcha que entonces se convertía en una verdadera aventura. Entonces noté el cambio que se había realizado en el camino. Hasta entonces el camino había sido de pavimento, ahora empezaba la brecha que seguiría al través de la sierra hasta Tancítaro: una brecha desigual que en muchos lugares sólo permitía el paso de un vehículo, y eso con trabajo. Si se encontraban dos vehículos en direcciones contrarias, uno tenía que ceder el paso al otro. La cortesía se imponía. Observé que, por lo general, el que descendía era el que cedía el paso, sin duda para evitar que el que ascendía perdiera el impulso que llevaba.

Según el mapa, sólo hay cincuenta y siete kilómetros de Urua- pan a Tancítaro, pero a juzgar por el tiempo requerido para recorrer este trayecto, cualquiera diría que la distancia era de doscientos kilómetros. Claro que con las múltiples paradas a lo largo del camino y lo lento de la marcha, era imposible el viaje en un tiempo razonable.

Después de muchas paradas e innumerables tumbos el autobús se detuvo en medio de la montaña; quién sabe de dónde salieron unas gentes con canastas y bultos que acomodaron sobre el autobús. Como no había ya asientos, tuvieron que permanecer en pie en el pasillo y columpiándose del pasamanos para no caerse en cada vuelta inesperada.

El autobús llegaría a Tancítaro después de las 6:00 de la tarde. ¡Tres horas y media para recorrer la distancia de cincuenta y siete kilómetros! Nadie creerá tal cosa a menos que haya tenido una experiencia semejante. Hay que tomar en cuenta las subidas y bajadas bordeando abismos insondables, caminos rocosos en partes y en otras partes pantanosos. El paisaje que al principio se ofrecía majestuoso con sus cientos de picos revestidos de gigantescos árboles o plantaciones de aguacates, con esporádicos maizales, se convertía pronto en monótona repetición. El viajero recibía la impresión de estar girando en un círculo cerrado: sierras y más sierras, árboles y más árboles, y el ronroneo persistente del motor que se esforzaba por escalar una empinada cuésta o salvar un profundo precipicio por medio de un angosto puentecito que apenas se veía en el camino.

Tuve la impresión que el chofer sabía dónde estaba el puente y contaba más con su instinto que con su vista para conducir su autobús y maniobrar las curvas que eran casi esquinas.

Los pasajeros que al principio semejaban un enjambre con sus bisbiseos ahora veían por las ventanillas con un obvio aburrimiento, o cabeceaban de un lado para otro en armonía con el vaivén del autobús. Yo que veía este panorama por primera vez —y quizá por última— trataba de asimilar lo más posible, aunque también empezara a cansarme la monotonía.

Llegamos a un lugar donde estaba un camión de carga metido hasta los ejes en el lodo. Decían las gentes que había llovido a cántaros en los últimos días por efecto del huracán que azotaba la costa del Pacífico. Casi todos los pasajeros descendimos para curiosear, o para estirar las entumecidas piernas; pero no para ayudar a sacar el camión. Aproveché la oportunidad para captar en una foto —que no salió bien por falta de luz, ya que no por culpa mía— la belleza panorámica.

En pocos minutos el camino quedó libre y pudimos proseguir nuestra jornada, a paso de tortuga, como siempre. El autobús hizo otras paradas indispensables y ocasionalmente el conductor bajaba a conversar con algún conocido. No sé si sería cuestión de negocios de la línea de autobuses o sencillamente serían cosas personales.

Al fin, Tancítaro estaba a la vista. Desafortunadamente para mí casi no quedaba luz del día, porque la poca que había era bloqueada por las altas montañas al pie de las cuales está el pueblo, el Cerro de Tancítaro era el principal responsable de mi problema. No pude tomar fotos a esa hora, aunque podía verlo todo, si bien no con gran claridad.

El autobús se detuvo al costado de la plaza principal, después de haber recorrido unas cuantas calles empedradas. Sólo entonces me enteré de que no había modo de volver a Uruapan sino hasta el día siguiente a las 7:00 de la mañana y en el mismo autobús que me había traído.

Mi primer sentimiento fue de pánico. Luego decidí que lo mejor sería aceptar la situación como un reto o una oportunidad para entender mejor lo que Pito Pérez tuvo que aguantar en un pueblo como éste. Me preocupé, entonces, por buscar un lugar donde pudiera pasar la noche. Un joven me informó que sólo había una casa de pensión. Allá fui. La dueña del establecimiento me informó para aumento de mi sobresalto y casi agonía, que los trabajadores de la Comisión Federal de Electricidad habían ocupado todos los cuartos disponibles. Hasta un joven, huésped regular de la pensión, tuvo que ser puesto en otro cuarto para poder alojar a todos los trabajadores de la Comisión Federal de Electricidad. Le pregunté si había otro lugar, alguna posibilidad para mí, y me contestó: "A unas dos cuadras de aquí hay una tienda. Pregunte por el señor Reyes. A veces él renta un cuarto cuando yo no tengo. Tal vez él pueda ayudarlo". La señora, dueña de la pensión, debió detectar mi angustia —recordé la vez en que, siendo muy niño, me perdí en el mercado de mi ciudad— porque pude leer, o creí adivinar en su rostro una mueca de simpatía. Pero yo necesitaba más que simpatía en ese momento. Necesitaba un cuarto con cama.

Me encaminé a la única tienda que descubrí en la cuadra indicada y vi a un señor gordo y ya de edad avanzada, sin ser viejo, sentado detrás de un pequeño mostrador.

—¿El señor Reyes?

—¿Sí?

—La señora de la pensión me ha dicho que quizá usted pueda ayudarme. Me dijo que posiblemente usted pueda rentarme un cuarto por sólo esta noche. Ella no tiene lugar.

—Bueno, pero es que yo no tengo un hotel en forma. Ni siquiera tengo camas, lo que se llaman camas. Sólo tengo unos catres. Pero, permítame un momento y usted mismo podrá verlos, a ver si le convienen.

No me dio oportunidad de decir nada más y desapareció por una puertecilla detrás de su tienda y yo me quedé parado cerca de la puerta de la calle. Después pude entender que se había marchado para poner algo de orden en el cuarto que me mostraría.

No exageraba ni en lo más mínimo. Al inspeccionar el cuarto vi tres catres amontonados, uno junto al otro y contra la pared, dejando sólo un pequeño espacio cuadrangular en medio para que los huéspedes, en caso de que hubiera casa llena, pudieran alcanzar sus camastros respectivos.

El señor Reyes trató de consolarme diciéndome que yo sería, con toda probabilidad, el único huésped por esa noche. Tal vez me haya dicho eso para justificar el precio que me cobraría, ya que yo ocuparía todo el cuarto. Seleccioné la que una vez, hacía mucho tiempo ya, había sido cama y conservaba de sus mejores tiempos la piesera y la cabecera; por colchón tenía dos petates de palma; un par de cobijas servían al mismo tiempo de sábanas. Me acosté con la cabeza hacia la cabecera, pero mi cuerpo no se acomodaba a los hoyos de la cama; me acosté con la cabeza hacia la piesera y la cama se ajustó a mis costillas como si los hoyos hubieran sido hechos a mi medida.

Acepté el alojamiento como la única posibilidad de poder dormir bajo techo; de lo contrario, tendría que dormir en una banca de la plaza, algo que no se recomienda, especialmente siendo un forastero, además las noches en ese pueblo son muy frías. Ya arreglado el precio del cuarto, salí a comer, mi primera comida del día. El señor Reyes me advirtió que sólo me esperarían hasta las nueve de la noche. Si llegaba después de esa hora ya no podría entrar al cuarto. Pensé inmediatamente que en pueblos como ése, sin actividades nocturnas que los distrajeran, los habitantes se acostarían muy temprano. Le aseguré que tan pronto como consiguiera algo de comer volvería a mi cuarto para descansar.

Recordé haber visto un establecimiento con un gran letrero que anunciaba el único restaurante del pueblo, o al menos cerca de la plaza, y por lo mismo el más prestigioso. Me encaminé hacia allá. Estaba sólo a un par de cuadras.

Al llegar vi unas mesas y sillas amontonadas, como si ya no hubiera servicio. Sin embargo, reconocí al chofer y a su ayudante sentados en unos bancos altos y que se acomodaban sobre el mostrador, mientras los atendían. Supuse que eran clientes regulares, a juzgar por la familiaridad con que los trataba el cocinero. Este era un hombre ni joven ni viejo, ni alto ni bajo, ni gordo ni flaco, ni guapo ni feo; por su color moreno era característico de la mayoría de la gente de la región.

El cocinero les preguntó, al chofer y a su ayudante, si querían la comida del día —lo que quedaba de la comida del día— o a la carta, al mismo tiempo que les enseñaba un mole verde con bisteces. Ellos se decidieron por esa comida y yo también.

Me senté en el banco que quedaba libre y esperé pacientemente que se calentara la comida. Habría frijoles y tortillas recalentadas también.

El cocinero —y mesero— les sirvió al chofer y a su ayudante y luego, como por no dejar, me preguntó si yo quería lo mismo. Asenté. Me sirvió una buena porción de mole verde y dos buenos bisteces. No sé si era buen cocinero, o era que yo tenía mucha hambre, el caso es que comí con gran apetito, pero sin mucha prisa. Le pedí que me calentara leche para tomarla con nescafé y me dijo que sólo le quedaba un medio vaso y tuve que conformarme con eso; era mejor que nada, como dice el dicho. Calentaba la leche en un vaso demasiado grande para la cantidad de leche disponible y luego sacó, quién sabe de dónde, un gran frasco de café, con el comentario un tanto orgulloso, "del que se hace aquí", y le echó una cucharada sopera a la leche, pero el grano flotaba por todas partes. Resultó ser café para hervir, no instantáneo, y sólo después de un gran rato logró teñir la leche de un negro sucio, pero los granos seguían flotando por todas partes. Le pedí al cocinero que colara la leche, lo cual hizo. Al menos así pude tomarla, después de ponerle un poco de azúcar.

El chofer y su ayudante terminaron de comer y se marcharon. Su autobús estaba estacionado en la esquina y se podía ver desde donde yo estaba sentado. Recordé entonces que tan pronto llegamos y bajamos del autobús, otras gentes subieron y se acomodaron en los asientos que mejor les gustaron. Yo, no conociendo las rutinas de la región, no entendí, al principio, el porqué de sus acciones. El cocinero me preguntó si yo también me iba en el autobús. Contesté negativamente. Fue entonces que me enteré de que el autobús no se quedaría en Tancítaro sino que iría a Santa Catarina, unos quince o veinte kilómetros al sur. Me alegré de no ir con ellos al pensar en lo duro del camino y la obscuridad. Claro que el chofer conocía muy bien todos los recodos del camino, pero yo estaba contento de poder descansar de los tumbos del viaje.

Terminé de comer. Pagué la cuenta y lentamente salí del restaurante y me encaminé a mi cuarto. La noche había llegado. Las sombras que sobre el pueblo proyectaba el Cerro de Tancítaro se hicieron más densas. El señor Reyes pareció alegrarse de verme regresar temprano. Al pasar por la tienda, único paso a la trastienda, a la puerta trasera, al patiecito y finalmente a mi cuarto, una vieja me estrechó la mano, sin darme tiempo a reaccionar, y me habló como a un viejo conocido. Obviamente me había confundido con alguna otra persona porque el señor Reyes y su esposa no pudieron evitar una sonrisa que pude ver por el rabo del ojo derecho. Yo contesté el saludo como "siguiéndole la corriente", que al cabo nada perdía con ser cortés.

Ya he dicho que el cuarto era pequeño y no tenía más muebles que los catres, sus petacas y un par de sillas. Cuando pregunté por el cuarto de baño —iluso que soy—, el señor Reyes se apresuró a buscar una papel sobre el mostrador. Debo agradecerle su bondad demostrada al desechar una hoja de papel periódico y ofrecerme un papel más suave, que sin duda había servido de envoltura, puesto que, hasta en la obscuridad, podía yo adivinar el letrero de algún producto. No lo necesitaba, pero lo acepté para agradecer la amabilidad de mi "hotelero" quien, a pesar de ser más que corpulento, corría delante de mí para mostrarme, con satisfacción, las instalaciones requeridas. El "W.C." no existía, a la manera moderna de las grandes ciudades, o de los pueblos con drenaje y demás necesidades de la civilización. En su defecto, había dos casitas en el traspatio con un par de cajones cada una, de modo que alguien podría decir que había cuatro excusados en esa casa. En fin, peor es nada. Al regresar de ese lugar vi una cubeta con agua y junto a un lavadero de piedra. Aproveche la oportunidad que se me ofrecía para lavarme las manos.

Volvía a mi cuarto y traté de acomodarme a lo que había. Una cobija y una bocamanga pequeña. El frío se hacía sentir más intensamente, como para recordarme que estaba en la sierra de Michoacán. Decidí que dormiría en paños menores y el pijama encima. Me dejaría los gruesos calcetines para que no se me enfriaran los pies. El señor Reyes había prometido traerme otra cobija, pero ya tardaba.

En realidad era todavía un poco temprano para dormir, pero estaba cansado y, habiendo terminado mis notas del día, me acosté. Apagué la luz y al hacerlo mi oído se aguzó. Podía oír a los hombres que había visto sentados en la tienda, reconocía sus voces, pero se oían otras voces también. Reconocí la voz del señor Reyes preguntando —supongo que a su mujer—, "¿Dónde ha puesto la botella de alcohol?" No creí que pidiera alcohol para untar. El volumen de las voces iba en *crescendo,* sin duda que al calor de las copas.

Pito Pérez bien pudiera haber estado entre esas gentes contando sus aventuras y filosofando, y yo tan cerca de él y sin poder verlo. Me preguntaba cuándo me traería el señor Reyes la cobija prometida. Algo me decía que eso no pasaría antes de las nueve, cuando se fueran los bebedores y con ellos mi visión de Pito Pérez, cuyas huellas frías trataba yo de identificar.

Para entretenerme, traté de captar el significado de los diferentes sonidos que me llegaban, pero en vano porque me llegaban a intervalos y niveles desiguales. De pronto sonó un saxófono y a poco le siguió un clarinete, primero tímida, suavemente, como si alguien estuviese practicando su lección y tuviera miedo de equivocarse, pero poco a poco el tono se afirmaba y se volvía decididamente provocativo. El reto fue aceptado y los tambores y címbalos contestaron. Pensé que mi oportunidad de descansar se desvanecía en las tinieblas de la noche porque los músicos estaban precisamente en un cuarto adyacente al mío. Se veía claramente que no podría dormir hasta que terminara toda esa barahúnda.

Debí, a pesar del ruido —quizá arrullado por el ritmo musical—, quedarme dormido porque los gritos del señor Reyes me despertaron —o tal vez me hayan vuelto a la realidad— con el anuncio de que me traía la prometida cobija. Salté del catre, abrí con alguna dificultad la vieja puerta y recibí la cobija. No me paré a pensar de dónde la habría sacado. Para mí era suficiente tenerla. Rearreglé mi nido y pronto me dormí, pero no por largo tiempo porque mis costillas protestaban por la dureza del catre y empecé a voltearme de un lado a otro. Así pasé la noche: durmiendo hasta que me despertara con sus protestas la parte de mi cuerpo que hacía contacto con el catre, y así les di a mis cuatro costados la oportunidad de gozar el lecho providencialmente agenciado y hasta se me ocurrió la idea —descabellada sin duda— que quizá Pito Pérez hubiera ocupado el mismo cuarto y posiblemente hasta el mismo catre durante su estancia en este pueblo. De haber tenido *flash* habría tomado unas fotos de mi alojamiento que sólo pude comparar a otro en el que dormí hacía muchos años, en Teremendo, otro pueblo michoacano.

Al pensar en los lugares donde me había quedado durante este proyecto, pude dar con algo favorable que decir de este lugar: no había mosquitos, como en Jiquilpan y otros lugares. "Dios no nos da más de lo que podemos aguantar", ha dicho alguien, y ha dicho bien, porque yo no podría haber aguantado otra noche de desvelo.

Pensaba en los otros habitantes de la casa. ¿Como podrían dormir con tanto ruido? Pero tal vez ellos ya estuvieran acostumbrados a este tipo de rutinas todas las noches, o algunas noches.

Aunque estaba obscuro, la luz del cuarto adyacente se filtraba por los grandes agujeros de la puerta, tanto que tuve que levantarme y tratar de cubrirlos con pedazos de papel. El elevado techo del cuarto se sostenía con grandes dificultades sobre vigas tan viejas que si pudieran hablar habrían contado historias milenarias —al menos esa impresión me producían. Una de las puertas había sido condenada, sin duda que con la intención de aprovechar mejor el espacio del cuarto. La puerta que funcionaba era enorme y pesada, pero la polilla la había usado mucho tiempo como alimento regular. En medio de la puerta había otra puertecilla ojival, lo que me hacía pensar que posiblemente esa puerta hubiera servido de ventana de algún templo antiguo. No había manera de asegurar la puerta porque el aldabón que debía cerrarla estaba fuera de lugar y ya no operaba.

Me preocupaba que hubiera chinches en los petates de palma como es común en otros pueblos de Michoacán; por lo mismo, cada vez que sentía yo comezón en alguna parte del cuerpo, trataba de averiguar si era algún insecto o simplemente el sudor ya seco en mi cuerpo. Para consuelo mío, no descubrí ni una sola chinche.

Por mi parte ya había olvidado lo que significaba estar en un pueblo desconocido y sin lugar donde descansar por la noche. Acostumbrado a los medios modernos de transporte me preguntaba cómo llegaría Pito Pérez hasta este pueblo aparentemente olvidado. Pudo haber cruzado la sierra por veredas venaderas. Mis evocaciones se atropellaban. Pensaba en Pito Pérez y se interponía el recuerdo de los hombres que había visto en la tienda, pero que no compraban nada. Su propósito parecía ser hacerle compañía al señor Reyes. Imaginaba que eso sería, precisamente lo que le ocurriría a Pito Pérez, al menos hasta que alguien le ofreciera un trago, y alguien más otro, y así hasta que se intoxicara.

¿En qué se ocuparía Pito Pérez? No hay nada que hacer, como no sea emborracharse, pero eso se hace, generalmente, por las noches, aunque no necesariamente sólo entonces. Recordé que mientras esperaba que me sirvieran en el restaurante dos hombres entraron hasta la trastienda y sacaron a un hombre totalmente intoxicado, y lo llevaron, medio en hombros, medio a rastras al autobús que salía para Santa Catarina. Sin duda que había estado durmiendo en algún cuarto, o tal vez en el suelo, en algún rincón del patio. Y eso era como a las seis de la tarde. Pito Pérez comenzaba a beber a cualquier hora que pudiera encontrar bebida, eso cuando no estaba ni en el hospital, pagando las consecuencias de su abuso del alcohol, ni en la cárcel por borracho o por deslenguado.

¿Cómo saldría de aquí Pito Pérez? Es de imaginarse que el tiempo para él no tenía importancia. No se dice ni una vez que montara a caballo; sólo una vez, posiblemente, montara el burro que liberó en Santa Clara y lo llevó a Pátzcuaro. Eso quiere decir que por fuerza tuvo que caminar varios días, quizá semanas, para volver a Uruapan.

Con el nuevo día yo estaba listo para desayunar, tomar algunas fotos y abordar el autobús de regreso a Uruapan. Tenía que darme prisa porque el autobús pasaría en cualquier momento, aunque me habían dicho que sería a las siete.

En Tancítaro las noches son frías, las mañanas frescas. Para las seis de la mañana, hora en que salí de mi cuarto para ir al restaurante, ya había algunas gentes en las calles. Recordé que esa costumbre es característica en los pueblos campesinos donde el día comienza temprano y termina con la puesta del sol.

El desayuno en el único restaurante del pueblo pasó sin incidentes importantes. El cocinero se quejaba de que el día que se había levantado temprano, los parroquianos no venían y el negocio no era bueno; pero cuando no se levantaba temprano, las gentes le tocaban la puerta para que las atendiera.

Unos cuantos hombres llegaron al restaurante y al preguntárseles qué querían, si café o canela, noté que todos pidieron canela, pero con piquete. Eso me hizo pensar en Pito Pérez que buscaba, temprano por la mañana, un tecito de naranjo con su piquete para entrar en calor: "En un portal pequeño unas mujeres vendían tazas de café y hojas de naranjo con sus buenos chorros de aguardiente. La primera que me tomé me hizo entrar en reacción. v a la segunda, olvidé que andaba huido de la casa paterna y fortalecióse mi ánimo para seguir adelante como descubridor de un nuevo mundo." (p. 39).

Esta costumbre ya la había yo visto cuando era niño. Mientras los hombres tomaban su canela con piquete, yo tomaba leche con nescafé —el cocinero finalmente me había dado lo que yo quería— y un jugo de naranja. Terminando mi desayuno me dediqué a la realización de mi proyecto.

Todavía no había bastante luz para tomar fotos, pero era necesario hacerlo. La plaza está rodeada de portales con sus postes de madera. A un lado está la parroquia tan grande que parece que se construyó con la idea de dar cabida en ella a todo el pueblo en cada misa. La parroquia es antigua y es la estructura más alta del pueblo. Se enseñorea de todo el poblado y contempla impasible a las gentes que ya descansaban el la plaza.

La simplicidad de este templo puede ser evidencia de la pobreza de sus feligreses. Su altar es sumamente sencillo y el sacerdote, a la distancia que me encontraba de él, parecía joven. Unas cuantas beatas le respondían durante la celebración de la misa. El abandonó el altar y se arrodilló detrás de la primera banca, como para identificarse con los humildes adoradores. Una mujer joven entró con un niño envuelto en su rebozo y dos niños colgados de su falda; se sentaron detrás de las beatas, después de persignarse. Luego se levantaron y avanzaron más hacia el frente.

Por el otro costado de la plaza están la Presidencia Municipal y la cárcel, así como la Comandancia de Policía. Cada dependencia parece constar de un cuarto frontal y, posiblemente, uno atrás o un patio. La cárcel, sin ventanas, debió ser sumamente lóbrega y Pito Pérez dice que la conoció por dentro: "He ido a parar a ellas (cárceles) por borracho y travieso, pero a nadie he matado ni he cometido crímenes de esos que honran a los ricos y hunden a los pobres en largos años de condena." (p. 115). Y más tarde, siguiendo el mismo tema, dice: "He visitado muchas cárceles, por borracho, por músico, por misionero, y una sola vez por tonto: ésta es la unica que escuece mi conciencia." (p. 128).

En lo que a mí toca, no me gustó ni ver esa cárcel por fuera; mucho menos me habría gustado verla por dentro y dormir en ella, como tuvo que hacerlo Pito Pérez.

A la orilla de la plaza, y enfrente de la Presidencia, estaba un puesto de vasijas de barro, así como ollas, cazuelas y jarros. A las seis y media de la mañana, los comerciantes encargados de ese negocio iban saliendo de debajo de una gran tienda de plástico transparente y adiviné que allí habían pasado la noche, echados sobre la paja usada para empacar su alfarería y ahora les había servido de colchón. Ya no me sentí tan mal por haber dormido en unos petates de palma y me consolé pensando en el filósofo que se quejaba de no tener más que plátanos para comer y tirando las cáscaras hacia atrás vio que uno más pobre todavía las recogía y se las comía.

Habían traído atracciones mecánicas a este pueblo. Entre los mecánicos reconocí a uno de los pasajeros del autobús que me había llevado hasta Tancítaro. Mientras los mecánicos armaban sus aparatos, un buen número de chicos curiosos se habían trepado en la pared más cercana del atrio de la parroquia y contemplaban embelezados la actividad novedosa. Para ellos el espectáculo que se desarrollaba en su presencia era tan divertido como lo serían los monstruos mecánicos. Tal vez más todavía. Los chicos no parecían notar lo fresco de la mañana; en cambio, los adultos andaban como dormidos. Los hombres mayores andaban embozados en sus gruesos sarapes y las mujeres envueltas en sus rebozos multicolores o negros con rayas blancas. Sólo se les veían los ojos.

Por el tercer costado de la plaza, e inmediato a la parroquia, había otros comercios, debajo de los portales, pero, debido a la hora temprana, no había movimiento. Quizá se estuvieran preparando para el fin de semana cuando bajarían al pueblo todos los trabajadores de las rancherías inmediatas. El cocinero-mesero me dijo que Tancítaro es uno de los pueblos michoacanos con más rancherías cercanas. Tal vez Pito Pérez recordara uno de esos días de fiesta cuando se refirió a Tancítaro como "populosa ciudad".

Por más esfuerzos que hago no logro imaginar una gran multitud en este pueblo. Cierto es que las horas que estuve allí y los días, no eran de fiesta, ni apropiados para que la gente apareciera en gran número en la plaza. Toda la gente parecía estar metida dentro de sus propios pensamientos.

Lo único que lograba oír, y eso muy de lejos, eran los saludos rutinarios. Algunos hombres me saludaron desde el fondo de sus sarapes y las mujeres hicieron lo mismo detrás de sus rebozos. Los niños pasaban de largo sin notar siquiera mi presencia. Después de todo, yo era sólo un forastero, y entiendo que es de regla desconfiar de los forasteros en los pueblos pequeños.

El sol comenzaba a alumbrar la cúpula de la parroquia, pero no a disipar el fresco de la mañana, ni a proporcionarme la luz suficiente para tomar las fotos que necesitaba.

Me senté en una de las bancas de metal frío para contemplar el panorama y calcular cuáles serían los mejores ángulos para sacar las fotos deseadas. Este descanso me dio la oportunidad de observar a las pocas gentes que se aventuraban tan temprano a sentarse en la plaza, como si no tuvieran nada que hacer —tal vez en realidad no tenían nada que hacer.

Vi con atención las paredes no muy altas que rodeaban la parroquia y decidí que no tenían como propósito principal ofrecer protección sino delimitar el atrio y la propiedad de la iglesia, como si tal cosa fuese necesaria. Sin embargo, allí estaban las paredes obstruyendo una vista más completa de la parroquia.

Excepto por unos pocos vendedores de alfarería, dicen los habitantes de esta comunidad, el pueblo está olvidado. Es un pueblo dormido, o tal vez muerto. Si es un pueblo dormido, ya da señales de empezar a despertar; si es un pueblo muerto, ya da señales de vida, con la abundancia de productos naturales que se explotan.

La industria principal es el aguacate. Pero muchas plantaciones son demasiado recientes y sólo podrán producir en unos cuatro años, aunque algunas plantaciones ya están en plena producción. Las resinas son también importantes para la economía de la región. Por todas partes se veían árboles sangrando en unos pequeños recipientes colgados en la parte inferior de la herida. Las "pipas" llegan periódicamente a recoger la resina. La madera no es menos importante. En algunos lugares estratégicos se pueden ver los pequeños aserraderos.

Las caras viejas —el pueblo mismo parecía habitado por viejos, niños y mujeres viejas, en su mayoría— llenas de arrugas, tal vez prematuramente, reían (cuando se les podía ver la cara) exhibiendo hileras doradas los hombres, y las mujeres lucían orejas y bocas doradas: de sus orejas colgaban lunas de oro de diversos tamaños, lo mismo ocurría con las orejas de la niñas. Los desheredados parecían ser los niños varones que sólo llevaban a cuestas su mugre y, posiblemente, su soledad, como Pito Pérez.

La única conexión regular entre Tancítaro y el resto del mundo son los autobuses que regularmente vienen y se van. Los choferes y los cobradores o son bellos ángeles de la comunicación y el transporte, o son pequeños déspotas que, conscientes de su importancia, no pierden oportunidad de hacérsela sentir a los pasajeros.

Ya en el camión de regreso, un niño de unos tres o cuatro años, pero demasiado pequeño para su edad, chupaba un "pirulí" (paleta de dulce) y sus manos y cara sucias se veían pegajosas por el dulce. Se cansó y se sentó primero y luego se acostó en el pasillo sin que la mujer que lo llevaba diera muestra alguna de interés en él. Cuando los pasajeros tenían que bajar, o subir, sencillamente brincaban sobre el niño, procurando no pisarlo. Al parecer estaban acostumbrados a eso. Varias veces me pregunté si sería la madre quien lo llevaba o sólo sería una madrastra, y pensé para mis adentros: "Pobre niño, ¿qué serás de grande, si es que llegas a conocer esa edad?" Quizá sea otro Pito Pérez, sin amor y sin razón de vivir.

El viaje de regreso ya no me pareció tan largo, tal vez porque ya estaba yo condicionado para tolerar las peripecias del camino. Además, como me senté en el lado opuesto del autobús, podía ver las cosas desde un punto de vista diferente al anterior en mi viaje de ida a Tancítaro. Tan pronto llegamos a Uruapan, encontré que salía un autobús para Pátzcuaro y lo abordé en seguida.

PATZCUARO (II)

Conociendo ya el camino, me apresuré a llegar a la tienda "El Cairo". Pasé por el mercado. Siempre hay vendedores y compradores. Esa es la vida del pueblo que se sienta en la orilla del lago del mismo nombre.

Esperaba tener más suerte en este viaje que en el anterior. Al llegar a la esquina donde debía doblar para ir a la tienda, estiré la mirada para ver si la tienda estaba abierta. Para mi alivio, vi las puertas abiertas de par en par. Apresuré mis pasos para llegar cuanto antes.

Al llegar a la tienda vi a dos personas detrás de un pesado y mugroso mostrador: una joven y un anciano que atendían a la numerosa clientela. Adiviné que el anciano era don José Reyes Tapia, de acuerdo con la descripción que de él me habían dado. Me daba algo como pena interrumpirlo en su trabajo, pero tenía que hacerlo, de otro modo mi viaje, por segunda vez a Pátzcuaro, carecería de sentido.

—¿El señor José Reyes Tapia?

—A la orden. ¿En qué puedo servirle? —me contestó a la antigua manera que persiste en la provincia mexicana.

Observé que don José era un anciano casi centenario. Llevaba un mandil azul obscuro o negro —era difícil precisarlo— para protegerse la camisa y el pantalón. La jovencita que lo asistía portaba un mandil como el de don José.

—Vengo de parte de su sobrino Tomás Rico Cano, de Morelia, quien me encargó saludarlo de su parte.

—Muchas gracias. Cuando regrese usted, déle también mis recuerdos.

—Lo haré con mucho gusto. Su sobrino me dijo que usted es pariente, aunque un poco lejano, de Pito Pérez...

—Así es. Sí, señor.

¿Podría usted hablarme un poco de este parentesco? Es un asunto que me interesa porque tengo entre manos el proyecto de seguir la ruta de Pito Pérez y hablar con las personas que lo hayan conocido...

—¡Sí, señor! ¡Cómo no! Pase.

Inmediatamente removió la puerta del mostrador viejo y sucio que nos separaba y buscó una silla que me ofreció solícito y, casi sin transición, comenzó a soñar despierto, o a evocar memorias de su juventud que se atropellaban por ser, cada una, la primera en salir a la superficie.

Casi me sentí culpable de haber llegado porque don José olvidó su negocio y me dedicó aproximadamente una hora de su tiempo. Los clientes lo llamaban por su nombre una y otra vez, pero no lograban volverlo a la realidad cotidiana y rutinaria. Al parecer don José gozaba en revivir todas la memorias de una vida productiva.

"Don José, don José", gritaban unas mujeres, y él seguía como un dios en su olimpo, recitándome versos que, según el mismo me dijo, había aprendido en 1915. Me habían dicho que, a veces, don José rehusaba hablar con los que querían hacerle conversación deciendo que tenía mucho trabajo. Yo me encontré con una situación totalmente diferente. Tal vez lo haya encontrado en un día propició en que él estaba de buen humor y predispuesto a evocar el pasado. Como quiera que haya sido, yo me alegré de mi buena suerte. En algún momento me revolví en mi asiento y él interpretó mi movimiento como el preludio de mi partida —eso no era exacto— y se apresuró a decirme: "No se vaya tan pronto." Así supe que iba a seguir soñando y recordando los momentos que le parecían más interesantes e importantes de su larga vida y en sus relaciones con Pito Pérez, con el cual parecía identificarse por momentos, no en lo andariego, sino en la picardía y gozaba al recordar las anécdotas que no aparecen en *La vida inútil de Pito Pérez*. En lo que resta de este capítulo aparecen unas cuatro anécdotas reproducidas tan fielmente como sea posible.

Me informó don José que había aparecido en televisión recientemente porque lo habían entrevistado por su parentesco con Pito Pérez. Luego corrió a la trastienda y volvió pocos minutos después llevando unos periódicos. Me mostró la "Sección B" de *Excélsior* del jueves 16 de marzo de 1978. El encabezado dice: "La vida de Pito Pérez no fue tan inútil." Aparece en esta sección una foto de Jesús Pérez Gaona y fotografías de otros documentos que afirman que Pito Pérez fue un personaje de carne y hueso cuyo nombre verdadero fue Jesús Pérez Gaona, natural de Santa Clara del Cobre.

Don José me mostró los originales cuyas copias aparecían en *Excélsior*. La nota del periódico dice: "Autógrafo de Pito Pérez que dice "a mi fino y querido amigo de corazón, el Sr. Dn. Crisógono P. Treviño, como recuerdo de mis parrandas. Jesús P. Gaona. Santa Clara. Julio 12 de 1899."

Don José me mostró un retrato de Pito Pérez, dedicado a su tía —era también tía de don José— Cándida Castejón, con una leyenda en el reverso que dice: "Acepte usted esta (sic) como un recuerdo de su sobrino. No la olvida. Jesús P. Gaona. Guadalajara, septiembre 16, 1900."

Mientras tomaba yo nota de esos detalles, don José seguía hablando:

—Usted sabe que se han hecho dos películas sobre la vida de mi pariente. Yo protesté contra la deformación de la primera, pero protesté más todavía contra la peor deformación de la segunda. Me acuerdo que, una vez que vino Rubén, yo le dije, "Oye Rubencito, tú has deformado demasiado la personalidad de mi pariente." El nada más se sonrió y no intentó siquiera justificarse.

Debe usted saber que Pito Pérez hizo cosas muy interesantes como una vez que, teniendo dos hermanos sacerdotes, se vistió con la túnica sacerdotal y confesó a varias mujeres. Después de oír la confesión, les impuso como penitencia dar tres besos al novio, o al marido. Las jóvenes se alegraron de recibir tal penitencia, pero lo malo fue que algunas mujeres casadas no estuvieron de acuerdo con la penitencia y pusieron el grito en el cielo y fueron con la queja al cura, al mismo tiempo que las jóvenes felicitaban al cura por tener un confesor tan simpático.

Pito Pérez explicó que no había nada de malo en la penitencia, ya que las mujeres casadas podían dar tres besos a sus maridos y éstos se alegrarían. Esto le granjeó una merienda de sus amigos, pero también el antagonismo de los curas y de las beatas.

Sabe usted que Pito Pérez iba a ser cura, pero no tuvo dinero para los estudios. Dos de sus hermanos fueron curas y uno fue licenciado en Derecho.

Otra cosa que hizo, esto fue en Zamora: lo pusieron de Administrador de Rentas y al ver lo elevado de las contribuciones que pagaban las gentes, lo primero que hizo fue establecer cursos para que las gentes aprendieran cómo pagar menos. Claro que esta escuela fue muy popular con la gente. Pero, cuando llegaron sus superiores y descubrieron este programa, Pito Pérez se fingió enfermo y lo mandaron al hospital del cual se robó la "Caneca", y se marchó a Uruapan, donde puso una escuela de guitarristas.

Pito Pérez era un buen guitarrista y se atrajo un buen número de muchachas que querían aprender a tocar guitarra. El arregló un cuarto de modo que un día que salió del cuarto, mientras que las chicas practicaban, al quedar éstas solas, de alguna parte salió la "Caneca" y espantó a todas las muchachas que se pusieron a gritar y correr por todas partes. Pito regresó a ver qué ocurría —como si no supiera nada— y la "Caneca" no estaba por ninguna parte. Las chicas nunca pudieron entender lo ocurrido. Claro que ése fue el fin de la escuela para guitarristas.

En otra ocasión, Pito Pérez tenía una novia y un día decidió pasar a verla sin previa cita a fin de darle una sorpresa, pero el sorprendido fue él, porque la vio platicando con un hombre que era pariente de ella, pero Pito no lo sabía. Entonces, él llamó a varios amigos y les dijo que se iba a suicidar. Escribió cartas a la novia, al Presidente Municipal, al Prefecto de Policía, y a otros que fueron a verlo al lugar indicado.

Al llegar encontraron a Pito Pérez acostado en medio de botellas, en vez de velas, completamente borracho. Esa era su idea del suicidio.

Don José me recitó otros versos de la Revolución Mexicana, versos patrióticos, versos dedicados a Santa Clara del Cobre y, por supuesto, versos religiosos, dedicados a la Virgen Patrona de Santa Clara del Cobre.

Los clientes que entraban a la tienda en busca de mercancía a veces escuchaban con atención lo que don José decía, y él, sabiéndose actor central, se inspiraba más y seguía su arenga. Volvió a su poesía de 1918. Los versos fluían fácilmente. Ladeaba la cabeza como para sacudir algún verso rebelde y, de cuando en cuando, se corregía por haber recitado mal.

Lo escuchaba con atención y hasta fascinado por la facilidad con que recitaba lo que había aprendido hacía tanto tiempo. Aprovechaba la oportunidad para mirar alrededor mío los estantes llenos de cosas, de cajas, de botes, de todo. La joven seguía sacando de aquí y de allá la mercancía requerida y de cuando en cuando interrumpía para hacer alguna pregunta breve sobre el lugar donde estaba tal o cual cosa o para indagar sobre el precio de cierto artículo. A estas preguntas contestaba don José como entre paréntesis y seguía donde había interrumpido sus recuerdos. De cuando en cuando hacía algún gesto que enfatizaba con un ligero movimiento de sus manos delgadas y hasta huesudas. La luz del lugar no era de lo mejor, era un ambiente más bien sombrío que al principio me impidió ver los detalles de las cosas, pero a medida que me acostumbraba a la media luz, mis ojos podían captar los pequeños detalles, es decir, hasta los pequeños objetos amontonados por todas partes; a decir verdad, apenas si había dónde andar, detrás del mostrador, sin pisar alguna cosa, o algún costal de los muchos que cubrían el piso por todas partes. Los ladrillos del piso tenían hoyos en algunas partes y estaban quebrados en algunas esquinas dejando triangulitos que se llenaban de polvo y semillas, y de otras substancias que no pude identificar.

Don José seguía recitando su poesía que, en cierto modo, parecía fuera de lugar en esa tienda de objetos tan humildes. De pronto, don José se quedó callado. Decidí que era el momento de marcharme, pero antes de hacerlo tomé unas fotos de don José quien al principio se resistió, pero pronto cedió a mi ruego y se apresuró a despojarse de su mandil para ponerse la chaqueta, arreglarse la corbata y alinearse el cuello y el cabello con la mano. Salimos a la calle, le pedí que se parara frente a su tienda y pronto terminé con las fotos.

Tal vez el tiempo que pasé con don José haya sido lo más emocionante de este proyecto porque de alguna manera sentí que conocía, al fin, de una manera personal a Pito Pérez. Las huellas dejadas por él no se habían perdido, como yo había temido. Providencialmente pude ver a don José hacia el fin de mi encuesta, como para hacerme sentir que mi proyecto tenía validez. Buscaba yo las huellas de Pito Pérez, y las había hallado en Pátzcuaro. Sólo me restaba volver a Morelia para descubrir, si fuera posible, los últimos rastros de Pito Pérez.

Don José me regaló cuatro platos de los que vende en su tienda. No son nada único en sí, ni siquiera son raros, o ejemplo singular de la artesanía local, pero para mí serán un valioso recuerdo, por mucho tiempo, porque son el símbolo de un corazón sensitivo y bondadoso de la provincia mexicana, y, en cierto modo, un eslabón tangible que me une a Pito Pérez.

MORELIA (II)

"Los vecinos madrugadores descubrieron el cadáver sobre un montón de basura, con la melena en desorden, llena de lodo, la boca contraída por un rictus de amargura, y los ojos muy abiertos mirando con altivez desafiadora al firmamento." (p. 181)

De regreso a Morelia, contemplaba el paisaje que desfilaba lentamente por la ventanilla del autobús. Las plantaciones de aguacates cedían su lugar a los maizales. Podía ver, cerca de la carretera ondulante, lagunas coloradas a intervalos cortos.

En un poblado pequeño —de los que hay tantos— a la orilla del camino y cerca de Tiripitío, había un entierro. Un grupo reducido de gente estaba alrededor de una fosa abierta. Al parecer el ataúd ya se había depositado en su lugar, al fondo de la fosa, y los dolientes, con sus humildes vestidos y pantalones parchados de diferentes colores rendían sus últimos respetos a la persona cuyo cadáver contemplaban. Algunos se frotaban los ojos. Fue una visión breve, pero impresionante. Todavía puedo ver en mi memoria ese cuadro de dolor que, en cierto modo, me preparaba para mi visita a Morelia, donde Pito Pérez dejó de existir para este mundo de miseria e injusticia, según él.

Al pisar, otra vez, las calles morelianas, particularmente la Avenida Madero, noté la ausencia de las manifestaciones estudiantiles y sus altoparlantes que me habían ensordecido en mi previa visita. Las actividades estudiantiles de protesta ya eran cosa de la historia. Ahora podía yo admirar con tranquilidad la ciudad donde

Pito Pérez anduvo de barillero y la ciudad donde llegó al final de su triste jornada, sin que nadie lo hubiera llorado.

De pronto, me sentí triste. Tal vez porque me acercaba yo al final de mis viajes en busca de las huellas de Pito Pérez; o tal vez porque pensaba en la muerte de Pito Pérez; o tal vez porque me di cuenta de que no podría hallar rastro de algunos lugares que Pito Pérez había frecuentado. Estos habían desaparecido como para borrar la memoria del filósofo pícaro mexicano —michoacano para ser más exacto.

La tienda —supongo que era una tienda— donde Pito Pérez se emborrachaba y donde contaba sus aventuras a José Rubén Romero, no aparecía por ningún lado. La Biblioteca ocupa lo que fue una parroquia en tiempo de Pito Pérez. Los puestos del mercado han sustituido al barillero. La gente todavía acude al cine y, al salir, cena pollo frito debajo de los portales. La catedral sigue orgullosa entre sus dos plazas. Por la Avenida Madero se amontonan los automóviles que se disputan el paso en las intersecciones bloqueadas por la reparación de las tuberías de agua. En las lomas de lo que era la Colonia Santamaría hay fraccionamientos modernos, lo mismo que en los terrenos donde había maizales.

Morelia es una ciudad en pleno progreso que no tiene lugar para los aventureros filósofos. Tal vez previendo tal cosa fue que se murió Pito Pérez, de pura tristeza, aunque José Rubén Romero diga que fue de amargura.

Si la ficción y la realidad se funden en alguna parte, entonces, hay que visualizar a Pito Pérez muerto en un basurero cualquiera de Morelia, y sus restos mortales depositados en una tumba anónima proporcionada por el estado que Pito Pérez conoció tan bien por haberlo recorrido tanto.

APENDICE

Vi, en Morelia, a la gente que tenía que ver y volví al D.F. para buscar información adicional, por raro que parezca. A su debido tiempo vi y platiqué con el profesor Jesús Romero Flores, bibliotecario de la Biblioteca del Senado de México y Diputado Constituyente. El me habló, principalmente, de la escena política que prevalecía en el tiempo de Pito Pérez, y de una manera especial hizo referencias a José Rubén Romero con quien lo confundían frecuentemente, por ser ambos escritores. Hice algunas investigaciones en la Biblioteca Nacional y en la Hemeroteca del D.F. en relación con mi proyecto, aunque no me he propuesto hacer un trabajo de erudición sino de aventura y experiencias personales al tratar de revivir la época en que vivió Pito Pérez, siguiendo sus huellas, o visitando los lugares que él visitó. Al llegar al final de este trabajo, tengo que concurrir con el encabezado de *Excélsior* "La vida de Pito Pérez no fue tan inútil", al menos en lo que a mí toca, porque me estimuló y me hizo querer conocer mejor a la gente entre la que vivió Pito Pérez y el hermoso estado de Michoacán.

APENDICE II

Algunas veces el contexto histórico de una obra es tan importante como la obra misma; otras veces el testimonio de un testigo añade una dimensión especial a la obra. Me ha parecido justo incluir la transcripción de la plática que sostuve con el profesor y Diputado Constituyente Jesús Romero Flores ya que tiene algunas interesantes referencias concernientes a *La vida inútil de Pito Pérez.*

JESUS ROMERO FLORES

V.— Profesor Romero Flores, en Morelia me dijeron que usted podría ayudarme dándome alguna información sobre José Rubén Romero; especialmente en relación con su obra *La vida inútil de Pito Pérez.*

J.R.F.— Vamos a ver. (Toma el diccionario que él mismo editó y lee) Sí... nació en Cotija, Michoacán, el 25 de septiembre de 1890, y murió en México el 4 de julio de 1952. Fue secretario particular del Ingeniero Pascual Ortiz Rubio, cuando éste fue Inspector General de Comunicaciones, y fue Jefe del Departamento Administrativo de la Secretaría de Relaciones Exteriores. Fue Cónsul General de México en España; Director General del Registro Civil; Ministro de México en Brasil y en Cuba; miembro de la Academia Mexicana de la Lengua; y Rector de la Universidad de Michoacán el año de 1944. —Yo fui el Rector en 1943. Sus obras poéticas son: *Fantasías* (1908), *Rimas bohemias* (1912), *La musa heroica* (1915), *La musa loca* (1917), *Sentimental* (1919), *Versos viejos* (1930), *Tacámbaro* (1922) —éste está traducido al ruso.

En el género novelístico escribió: *Apuntes de un lugareño* (1932), *Desbandada* (1934), *El pueblo inocente* (1934), *Mi caballo, mi perro y mi rifle* (1936), *La vida inútil de Pito Pérez* (1938), *Anticipación a la muerte* (1939), *Una vez fui rico* (1944), *Rosenda* (1946).

Colecciones de cuentos, hizo las siguientes: *Cuentos rurales* (1915), *Algunas cosillas de Pito Pérez que se me quedaron en el tintero* (1943).

Como ensayista tiene las siguientes obras: *Rostros* (1942), *Cómo leemos el Quijote (1947)*, *Tres hombres que conocí* (1948). (Y pone el diccionario a un lado.)

Las fechas anotadas corresponden a las de las primeras ediciones; algunas de ellas han sido traducidas a varios idiomas y llevadas a la pantalla cinematográfica. Periódicamente publicaba artículos en los diarios. Eso es todo lo que tengo yo de Rubén. Tenía 62 años cuando murió. Así es que no era viejo.

Yo fui muy amigo de Rubén. Empezó siendo Receptor de Rentas. Su papá era el Receptor de Rentas en Santa Clara, cerca de Morelia, adelante de Pátzcuaro; Santa Clara del Cobre. Y una vez fue a Morelia y pronunció unos versos para un Treinta de Septiembre, es la fiesta de Morelos. Unos versos muy bonitos. Me acuerdo yo que cuando, en un momento, empezó él a hablar de la Patria y empezó a tocar en sordina el Himno Nacional, eso emocionó mucho a la gente. Fue cuestión de patriotismo, ¿no? De eso me acuerdo yo. Y eso le valió para que ya siendo Gobernador el doctor Miguel Silva, ocupara una plaza de secretario. Era en 1912 y en 1913, fue durante la "Decena Trágica", en febrero, el asesinato de Madero, Pino Suárez, Serapio Rendón, y todos aquéllos; en fin, el gobierno del doctor Silva no se disolvió de momento; él vino acá a México, yo lo acompañé. Era yo Director de Educación Pública, ese año. Me trajo el doctor Silva de la Piedad, donde yo era Director de escuela el año del doce y le propuse que hiciéramos una escuela normal, porque no había una en Morelia. De profesores nos recibíamos en San Nicolás, previos algunos estudios que se hacían allí, alguna práctica, y algo de profesor, pero sin una preparación técnica y científica.

Yo le propuse entonces, al doctor Silva que se hiciera una Escuela Normal, que se hiciera una Dirección de Educación Pública, porque los maestros estaban gobernados por una sección de la Secretaría de Gobierno, un empleado cualquiera quitaba y ponía profesores. Los profesores realmente no eran recibidos. Había lo que se llamaba "Título de suficiencia". En la Ley Escolar estaba "Para la carrera de maestro deben hacerse ciertos estudios", y uno se preparaba en San Nicolás, en el Colegio, y allí se recibía. Otros se recibían en Zamora. Y así... había una anarquía.

Yo le dije al doctor Silva que se hiciera una Escuela Normal, debidamente organizada, y él me llamó a Morelia y me comisionó para que viniera a México y estuviera aquí en la Normal, que estaba entonces en lo que después pasó a ser Colegio Militar. Allá por Tacuba. No sé qué será ahora. Es un edificio con varios salones.

Ese edificio se contruyó en tiempos de don Porfirio Díaz para la Escuela Normal. Muy bonito. De las construcciones que se hicieron en tiempo de don Porfirio, unas muy bonitas: el Palacio de Comunicaciones, el Palacio de Bellas Artes, que también se hizo en tiempos de don Porfirio. Se dejó inconcluso, cuando don Porfirio se fue, y después lo terminó el gobierno de Abelardo Rodríguez. El gobierno —le digo yo— de los sonorenses. Cuatro sonorenses: Alvaro Obregón, luego don Adolfo de la Huerta, Plutarco Elías Calles y Abelardo Rodríguez. Todos murieron. Y michoacano, don Pascual Ortiz Rubio, que no alcanzó a terminar el período porque renunció, a medio período —eran entonces cuatro años—, renunció a los dos años, por un rapto de dignidad.

V.— Yo, realmente, nunca he entendido, o sabido por qué renunció...

J.R.F.— Mire. Don Plutarco Elías Calles, que había sido Presidente de la República, después de Obregón —y digo yo, porque cuando él fue Presidente de la República, yo fui Diputado Federal... yo fui tres veces Diputado: fui Diputado Constituyente, funcionando en Querétaro bajo Venustiano Carranza, después fui Diputado al Congreso del Estado, cuando Obregón era Presidente, después de la muerte de don Venustiano Carranza, y luego fui yo Diputado Federal cuando don Plutarco fue Presidente—, estaba rodeado de muchos aduladores —como siempre los hay alrededor de esos señores—, que lo llamaban "Jefe Máximo", y él, muy satisfecho con aquello; quitaba y ponía gobernadores. A él le contestaban los legisladores y todo el mundo. Me acuerdo yo que él tenía una casa acá por Tlalpan, una casa muy bonita; y se reunían en la noche, se jugaba baraja, se tocaba buena música, había muchachas, se bailaba, cosas así. El "Jefe Máximo" de la Revolución. Y él, muy engreído con aquello —debo decir que don Pascual Ortiz Rubio fue mi paisano, era michoacano; él era de Morelia, yo de la Piedad—. Lo conocí yo porque su primera mujer, Pachita Aceves, estaba en Morelia, pero era de la Piedad donde yo era profesor de escuela de 1906 a 1909; luego fui Director de escuela en la Piedad, de una escuela particular. Iba él allí a ver a Pachita, que después se cambió a Morelia, y se casaron. Y por eso yo tuve mucha amistad con don Pascual. Pero empezaron los periódicos a hacer burla de don Pascual. Me acuerdo de una caricatura muy sangrienta que decía: "Aquí vive el Presidente —era el Castillo de Chapultepec—, el que gobierna está enfrente". Era la casa de don

Plutarco. Y así otras cosas por el estilo. Entonces él, viendo eso, renunció. A los dos años de ser Presidente.

Don Pascual Ortiz Rubio había estado aquí, en el gobierno, en el interinato de don Adolfo de la Huerta, que entró en mayo con el dicho "Plan de Aguaprieta" y lo entregó a Obregón en septiembre, menos de cinco meses. Don Adolfo llamó a don Pascual para encargarle un puesto en Comunicaciones... Y, en una reunión —don Plutarco en aquel entonces era miembro del Gabinete del Presidente Interino, don Adolfo de la Huerta—, don Pascual Ortiz Rubio, que era muy guasón, con ese carácter típico de los michoacanos, muy alegre —estando presente don Adolfo de la Huerta—, se le ocurrió decir, después de que Plutarco había hablado: "Ese es un criterio de maestros de escuela". Don Plutarco había sido maestro de escuela, ¿sabía usted?, allá en Sonora. Tenía título de Maestro de Escuela. Yo no sé por qué no le gustaba que le dijeran eso. No es un deshonor. Maestro de escuela han sido muchos presidentes de Sudamérica... Sarmiento entre ellos... allí está... Y entonces notó que había muy poco ambiente favorable para él y renunció, y se fue a Barcelona. Y allá puso un puesto de curiosidades michoacanas, de esas que llevan los turistas, recuerdos y todo eso... un almacén de eso... Se dedicaba a eso. ¡Qué cosa tan curiosa! Por supuesto, aquello no resta mérito de tales personas.

Cuando subió al gobierno Obregón, después del Interinato de don Adolfo preguntó Pani, que era el Ministro de Hacienda —don Pascual le había escrito a Pani que le mandara un dinerito que le debía el gobierno, cuando había estado aquí en Comunicaciones, y se lo mandó, pero para sacar la firma del egreso fue y le dijo a Obregón—, "¿Dónde está el Ingeniero?" "Señor, está en Barcelona." "¿Qué está haciendo allá?" "Pues, señor está allá desde que renunció. Yo no sé que hará. El me pidió este dinero y se lo voy a mandar porque se le debe." "No", dijo Obregón, "no debe estar allá. Inmediatamente le da usted un empleo decoroso". Y lo nombraron Encargado de Negocios en Hamburgo. Fue lo que tuvo durante el tiempo de Obregón. Y luego yo no sé qué cosa hubo y lo hicieron Ministro de México en Alemania. Luego lo hicieron Ministro de México en Brasil. De allí lo trajeron acá a la Presidencia de la República. Después renunció...

V.— ¿A qué se dedicó después de renunciar?

J.R.F.— Ah, se fue a los Estados Unidos. Allá estuvo en los Estados Unidos. Volvió después y se dedicó al ejercicio de su profesión, ya retirado de la política. Yo lo estimaba mucho porque mire usted cómo son las cosas, escribió una biografía mía. Déjeme ver... (Toma el diccionario)

V.—¿Es ese el *Diccionario de Michoacán* que usted editó?

J.R.F.—Sí... Sí. Más bien yo lo hice, pero yo no lo publiqué. No hubiera podido hacer una edición tan lujosa; un pobre no hace estas cosas...

V.—¿La hizo el gobierno michoacano?

J.R.F.— Una la hizo el gobierno michoacano cuando era Gobernador David Franco Rodríguez; y otra edición ya más grande, ésta, la hizo el Seguro Social cuando era Director un michoacano, que también fue Gobernador antes de venir a México, don Carlos Gálvez Betancourt. Tengo entendido que este diccionario lo tienen allí en el Seguro Social. A mí, como si hubiera sido un obsequio, casi de limosna, me dieron seis ejemplares.

Pues sí, primeramente una edición que hizo David Franco Rodríguez, cuando era Gobernador, una edición muy corta y después me llamó don Carlos Gálvez, que fue Gobernador tres años, y que substituyó a Agustín Arriaga Rivera —era yo Senador, entonces—, le estaba haciendo propaganda a un compadre suyo y la gente no quería, y había una división allá en Michoacán. Y yo vine a ver a Luis Echeverría, que era Secretario de Gobernación, y le platiqué yo cómo estaban estas cosas y dice: "Pues hay que llevar una persona que no esté inmiscuida, que no sea arriaguista ni anti-arriaguista." Y era don Carlos Gálvez que es de Jiquilpan; de allí también era don Lázaro Cárdenas. A don Lázaro lo conocí de chiquillo...

Yo fui Inspector Escolar. Ya le dije a usted que le había propuesto al doctor Silva que hiciera una Escuela Normal y una Dirección... El me mandó a México, y cuando ya volví me dijo: "Voy a nombrarlo a usted Inspector Escolar, para que vea cómo están las escuelas, y ya después hablaremos de eso, cuando tenga más conocimiento. No había entonces autobuses... a caballo recorrí yo todo Michoacán: Apatzingán, Coalcomán, Jiquilpan, Zamora, La Piedad, Zitácuaro, Huetamo... A caballo; pero era yo muchacho.

Una de las escuelas que fui yo a visitar fue la de Jiquilpan. Y esto pasaba en el año de 1912, principios de 1913, y mire usted las cosas. En Jiquilpan tenía un amigo que era Fernando Castellanos, era su compañero —de Lázaro Cárdenas— en el colegio. A Fernando Castellanos lo mataron después los bandidos cerca de Pátzcuaro. Ahora un hijo de él es Magistrado de la Suprema Corte de Justicia, Castellanos Tena, se llama, hijo de Fernando. Fernando era Juez de Letras en Jiquilpan. Una vez fui a Jiquilpan —son muy alegres en Jiquilpan— hacían bailes muy bonitos, había muchas muchachas, muy simpáticas, porque, mire usted qué cosa tan curiosa, ¿usted nunca ha ido a Cotija?... Ah, ¡Vaya usted a Cotija! Son las muchachas más bonitas de la República, como las de los Altos también; porque no hubo mezcla, oiga usted, fueron colonias de "gachupines", de españoles, que no se mezclaron con los indios, por eso aquellas gentes son güeras, como las alteñas. ¿No ve usted la gente de los Altos: Atotonilco, Arandas? En Arandas están las mujeres más bonitas de la República. ¿No sabía usted esto? Ah, ¡qué preciosas muchachas! Arandas, Atotonilco, fueron colonias de españoles a quienes les daban tierras, que se llamaban entonces "Encomiendas". Y entonces, unos se mezclaban con las indias, produciendo el mestizaje, y otros no; casaban entre las mismas familias de ellos. Hay una canción en Cotija que dice:

Ya me voy para Cotija,
donde son buenos cristianos;
y por no perder la sangre,
se casan primos hermanos.

Muchachas muy bonitas las de Cotija, pero eso sí... son muy mochas.

V.— Por eso salió el padre de José Rubén Romero de allí, ¿no? junto con José Rubén Romero...

J.R.F.— Sí. Su papá se llamaba don Melesio. Era empleado de Rentas... Salieron de allí porque una vez fue don Aristeo Mercado, que era Gobernador de Michoacán, en tiempo de don Porfirio, y duró 19 años en el gobierno. Bueno una vez fue allí, por los años de 1894 o 96, en los primeros años de su gobierno, don Aristeo a visitar Cotija, y tuvo una reunión con los vecinos para enterarse de los problemas que tuviera la población, y ya estuvieron diciéndole: "Mire usted que tenemos estos problemas, y estos otros, y queremos que nos ayude usted a resolverlos." Luego les preguntó en cuanto a la sociedad y contestaron: "Pues estamos bien, pero hay aquí unos hombres incrédulos." "¿Cómo que incrédulos?", les preguntó; "No van a misa, hablan de los padres, se juntan en una tienda..." Y a los que se juntaban allí se les llamaba "Los Sonámbulos" porque la tienda se llamaba "La Sonámbula". Tal vez en recuerdo de la ópera aquella *La Sonámbula*. "Se juntan en 'La Sonámbula' y la gente les llama 'Los Sonámbulos', no van a misa nunca y hablan de los padrecitos, y leen periódicos impíos, de esos que se llaman *El Imparcial,* de allá de México." Entonces, ya tomó el Secretario de él los nombres de aquellas personas llamadas "Los Sonámbulos", y les dijo: "Ya sé que ustedes son liberales como yo, profesan las ideas juaristas." "Sí señor, nosotros somos liberales." Allí estaban estos señores, "Los Sonámbulos" famosos. Y les dijo: "Miren yo necesito de ustedes para que vayan a algunos distritos —todavía había distritos— para que me sirvan." "Sí señor, con mucho gusto. Esperamos el nombramiento y vamos a colaborar con usted, señor Gobernador, donde usted nos designe." Qué manera tan hábil de sacarlos de allí. Me acuerdo yo que a un señor lo hizo Prefecto de mi tierra, de La Piedad. Había prefecturas todavía entonces. A don Melesio que sabía algo de lo que se llamaba entonces teneduría de libros, contabilidad, lo hizo Receptor de Rentas. Lo trajo por distintos lugares, uno de ellos fue, como le dije a usted, Santa Clara. Estuvo también en Tacámbaro; en distintos lugares. Y Rubén, pues muchacho chico. En Rubén se da el caso de un autodidacta. Nunca fue al colegio; apenas la escuela primaria; y escuela primaria de allá, de pueblo, ¿verdad?, donde se enseñaba lo que llamaba entonces leer, escribir contar, hacer cuentas; leer, escribir con muy buena letra, con buena caligrafía, letra de toda clase: española, romana, izquierdilla. Eso se hacía allá, antiguamente; ahora ya no, se ha perdido todo eso. Pero había muy buena caligrafía. Aunque Rubén no estuvo en ningún colegio sí sabía hablar de cualquier cosa porque tenía muy buena biblioteca, y le gustaba mucho leer. Estuvo en Morelia un tiempecito, y después estuvo aquí en México. Lo visitaba yo en su casa...

Debo decirle que tuvo dos hijos, pero yo no los he vuelto a ver... Recuerdo que era Rubén muy buen anfitrión. Casi todos los días convidaba a comer a su casa a cuatro o cinco personas. Yo lo conocía desde que estuvo en Morelia con Don Pascual, cuando fue Gobernador don Pascual.

Don Pascual fue el primer Gobernador Constitucional. Fue durante la Revolución. El maderismo tiró a Mercado que se vino aquí a México, y aquí murió. Luego cayó Madero. Y el primer Gobernador maderista fue el doctor Miguel Silva, el que me llamó de La Piedad a Morelia, a quien le debo mucho... y que cayó precisamente cuando la "Decena Trágica". Mire usted, don Miguel Silva vino a México, cuando asesinaron a Madero y estaba Victoriano Huerta (de Presidente). Pero el que mandaba aquí era un general de Michoacán, Aureliano Blanquet, que fue precisamente de la "Decena Trágica", a quien después mataron. Era de Morelia.

El doctor Silva me trajo con él —era yo muchacho—, y nos hospedamos aquí en el Hotel Saint Francis. Ya lo derribaron ese hotel para hacer la prolongación... Y me dijo: "Me dice Aureliano que no renuncie, que ahora sí va a haber un gobierno fuerte, estable —le echaban a Madero, naturalmente, lo habían asesinado—, no como ese loco de Madero. No. Este va a ser un gobierno fuerte. Ese proyecto que usted tiene de los desayunos escolares —porque el doctor Silva se anticipó y estableció en México lo que llamaba "La gota de leche" en cada cabecera de distrito y se establecieron desayunos para los niños pobres—, ahora sí va usted a hacer esto y va a hacer aquello, y quién sabe qué cosas." Y no lo dejó renunciar. Después lo llamó, en julio, y le dijo: "Ahora sí va usted a renunciar porque andan allí unos bandoleros —así les llamaban a los revolucionarios— que andan por allá por Huetamo, un Gertrudis Sánchez, un Joaquín Amaro, un quién sabe quién que no son de Michoacán. Pero a esos los vamos a castigar. Vamos a poner un gobierno militar." Y empezaron a poner gobiernos militares. Hubo varios así: un coronel, y luego un general Garza González, que fue el mero tirano. Todas las noches, a todos los individuos... con decirle a usted una cosa: cuando entraron los maderistas a Morelia llamaron a los cargadores, los jefes de los maderistas —ya cuando cayó don Porfirio Díaz— y les dijeron a los cargadores: "¿Ustedes saben dónde hay caballos?" "Pues, sí", contestaron ellos. "¿Y coches?" "Pues hay unos cuatro o cinco; pero sabemos quiénes los tienen." —Porque luego escondían todo eso—. Pues los cargadores —eran unos veinte— recibieron la orden de ir a ver dónde había caballos y ya comenzaron a "Avanzar", a robar, y el jefe de los maderistas mandó "requisar", como dicen ellos, los caballos. Bueno, pues cuando llegó Garza González, también mandó llamar a los cargadores y ellos dijeron: "Uh, pues sin duda nos va a dar éste una chamba." Eran como veinte. Y los mandó fusilar a los veinte. ¡Cómo sería Garza González...!

V.— ¿Por qué razón?

J.R.F.— Nada. Porque habían denunciado dónde había caballos. Con eso le digo a usted todo... Todas las noches, a la gente sospechosa de maderista la mandaba a agarrar y sin más ni más, en la noche, la llevaban al panteón, y de a seis o de a ocho los fusilaban.

V.— A José Rubén Romero ya le andaba también, ¿no?

J.R.F.— Antes que yo. Ahora verá usted: Venía Rubén por un portal, "El Paraíso", como le llamaban, que está frente a Catedral —usted conoce Morelia—, y lo agarraron dos soldados y le dijeron: "¿Es usted Romero?" "Sí, señor, contestó él". "¿Es usted poeta?" El dijo: "No poeta, poeta, pero hago mis versitos", dijo Rubén... "Vamos por ahí". Y lo metieron a la prisión. Pero luego don Melesio, que era Receptor de Rentas, y que estaba allá en Morelia, fue a hablar por su hijo, y se aclaró la confusión. No era a él sino era a mí a quien buscaban... A mí me agarraron también, ¿eh? Al entrar a Palacio me agarraron. Pero afortunadamente iban saliendo Tranquilino García Márquez y Enrique Domensainz que eran Diputados y les dije yo: "Aquí me llevan". "¿Qué hizo usted?", me dijo Tranquilino. El era de La Piedad —Una hija de Tranquilino García Márquez está casada con Salvador Aceves. Bueno, ya murió Salvador Aceves, el cardiólogo, también de La Piedad, casado con la hija de Tranquilino. Ya murió hace tiempo. Tenía el doble de edad que yo—. Me metieron a un separo de allá del tercer patio del Palacio de Gobierno, y allí me tuvieron y había otros que me dijeron: "Ya te amolaste. A la noche van a sacarte..." Pero cuál sería mi buena fortuna que como a la hora o dos llegó un sargento: "¿Ontá el reo Romero?", "Yo soy", dije. Yo era el reo. Y me llevaron a Garza González, ese famoso Garza González, chaparro, militar, federal, muy moreno y rapado, como se rapaban los soldados federales, y dijo: "Mire, tal por cual —echó de esas insolencias, como dicen en mi tierra: de borracho— no lo mando fusilar porque estos señores hablaron por usted —estaban allí Tranquilino y Enrique Domenzainz— si no, no se me escapaba. Lo que voy a hacer es que lo voy a desterrar del Estado. ¡Lárguese de aquí!" Y le dijo a un oficial: "Mira, llévalo a la estación y el primer tren que pase, que se lo lleve..." Y pasó el tren que viene de Uruapan, que va de Uruapan a Celaya, y que entronca con el que viene de México. Y ya llegué yo. Me subí al tren... Iba yo... pues no crea usted... dicen que la gente no tiene miedo... pero el miedo es una sensación refleja, se siente ya que ha pasado. Me fui a mi casa, a la Piedad... Tenía yo un amigo, que después fue Diputado, que tenía una tienda de abarrotes que se llamaba "Las ocho esquinas" porque estaba en una confluencia donde había muchas esquinas y le dijo Luis Guzmán a mi Padre: "¿Dónde está Jesús?" Y mi padre no quería decirle que estaba escondido y dijo, imperativamente: "¡Dígame dónde está!" "Pues está en casa de mi madre." Era la casa de mi abuela. Allí había yo ido a esconderme. Llegó y tocó. Una ventaja de aquellas ventanas de pueblo es que son muy altas —no ventanas sino claraboyas—. Y tocó. Ya salió mi abuela... "¿Ahí está Jesús?" Y mi abuela no quería decirle... "Sí, aquí está." "¡Echemelo fuera!"... Ya salí yo... "¿Qué estas haciendo aquí escondido? No seas bárbaro; no seas tonto... ¡Vámonos al cerro!, aquí no estás bien. Aquí te agarran si te buscan. ¡Vámonos!" Y me fui a un rancho de ellos que se llama "El Guayabito", cerca de la estación del ferrocarril de La Piedad. Pero después de algunos días que estuve allí me fui a la Barranca del Chilar, más allá, ya en el Estado de Guanajuato, cerca de Pénjamo, un lugar muy bonito. Es una barranca, y en el fondo de la barranca, una barranca muy grande, va corriendo un río, y a un lado otro, huertas de naranjos, limas, todo aquello... Es de los señores Aceves, que después fueron de la Revolución... Y los mataron en la Revolución... Sólo vive Ernesto, el más chico de ellos y todavía vive en La Piedad. En la Revolución mataron a Pedro y Alfonso Aceves, todos ellos. Y de allí me dije: "¿Qué estoy haciendo yo? Los dueños trabajan porque es su negocio, y ¿yo en qué les ayudo? Nomás a la hora de comer; venga para acá y ya." Y me dije: "No estoy bien aquí." Y como pude me vine a Morelia. Y de Morelia me pasé a un lugar que se llama Cruz de Caminos, entre Pátzcuaro y Morelia. Allí vi que iban unos a juntarse con Gertrudis Sánchez, que estaba en Tacámbaro; allí me le junté yo. Eso pasaba en el mes de julio de 1914, y ya llegamos a Morelia. No hubo resistencia. Gertrudis me nombró Director de Educación Pública. Mi chifladura era crear la Dirección de Educación... Y a los pocos días vino Gertrudis a presentarse aquí (México D.F.), a presentarse a don Venustiano Carranza; Amaro, y aquel de Huetamo, José Rentería Rubiano; Espinoza y Córdoba, y todos los generales vinieron a saludar a don Venustiano Carranza... Días aquellos... muy lejanos...

Bueno, desde 1914 hasta ahora, ya hace 65 años. Imagínese usted... Yo voy a cumplir 95 años... cumplí ya 94. Yo no sé a qué hora me moriré... Aunque toda la gente muere...

V.— Bueno, esa es una ley... Hablé con don José Reyes Tapia, de Pátzcuaro, y él me dijo que tiene 99 años, aunque no le gusta confesarlo públicamente... El tiene una tienda "El Cairo", en una de las plazas de Pátzcuaro... ¿Ya se acuerda? Bueno, uno de los taxistas me dijo allá que una vez le preguntaron al señor Reyes Tapia: "¿Es usted de Pátzcuaro?" Y él contestó: "No. Pátzcuaro es mío." No sé si sea verdad o sea puro cuento...

J.R.F.— Por lo viejo, ¿verdad?... Allí en Pátzcuaro mataron a Fernando Castellanos, ése que le digo a usted que fue compañero mío, que fue Diputado a la Primera Legislatura, la de don Pascual. Estaba en Pátzcuaro y había ido a no sé qué con qué comisión, y su mujer se había ido a misa; él se quedó en el hotel, ¿verdad?, no era muy amante de andar en misas; y hubo una balacera y él salió a ver... Era Inés Chávez, aquel famoso Chávez García, y al salir a ver si su mujer llegaba, y que lo agarran y allí lo asesinaron, porque Inés Chávez era un... Después de la Revolución se sueltan muchos bandidos...Inés Chávez, otro a quien llamaban "El Tejón"... "El Chivo Encantado" era otro bandolero también... ¡Qué de bandidos! De la que me escapé...

Cía. Editorial Impresora y Distribuidora, S.A., calle
Medellín 119, Col. Roma, México, D.F., C.P.06700
terminó esta edición, en tiro de 2,000 ejemplares,
el día 20 de enero de 1983.